小笨熊典藏 xiaobenxiong

儿童经典悦读系列

悦读趣味动物童话

YUE DU QU WEI DONG WU TONG HUA

吉林摄影出版社

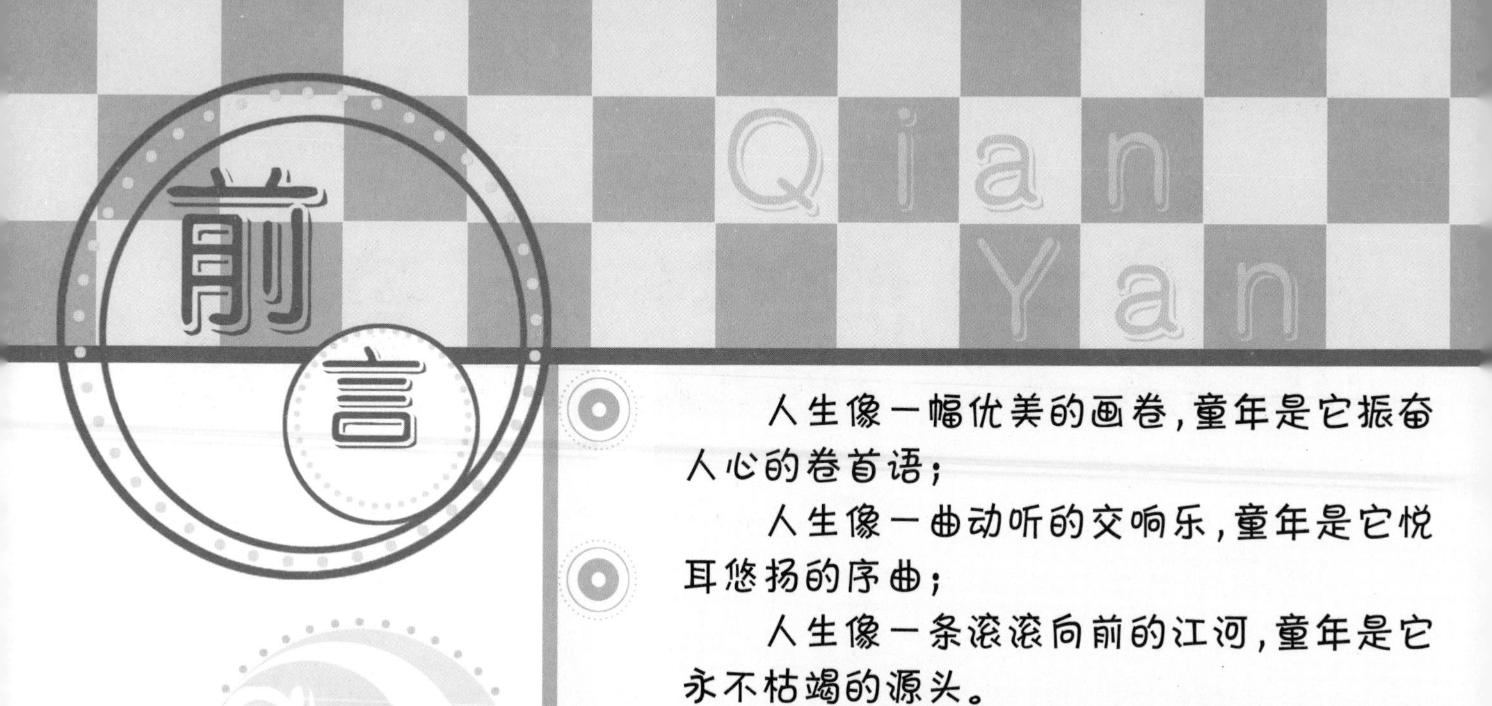

前言

人生像一幅优美的画卷，童年是它振奋人心的卷首语；

人生像一曲动听的交响乐，童年是它悦耳悠扬的序曲；

人生像一条滚滚向前的江河，童年是它永不枯竭的源头。

童年之于人生，是一个美好的开始，而阅读更是扮靓童年的一道七彩霞光。在这里我们为孩子们献上了优美生动而充满童趣的经典故事，这些故事有的取材于历史，里面有关于生活的启示；有的来自前人的生活经历，其中蕴含着丰富的生命积淀；有的则是充满新奇想象的童话故事，里面饱含着离奇又美好的憧憬。这些故事中浸润着爱心，流淌着友情，凝聚着智慧，让孩子们从中体悟人生的真谛。

我们精心编辑的这套《儿童经典悦读系

列》丛书包括《悦读趣味动物童话》《悦读益智动物童话》《亲子睡前故事》(甜美卷、快乐卷、梦幻卷、温馨卷)《培养孩子积极进取的美德故事》《培养孩子懂事明理的智慧故事》《培养孩子健康成长的启蒙故事》《培养孩子美好性格的心灵故事》《培养孩子乐观向上的成长故事》等，它们将以丰富的内容、精美的图片、独具匠心的设计为孩子们呈献一个精彩的童话故事世界。

愿它们能为你的人生点一盏明灯，为你的梦想插上翅膀，成为你成功的基石。愿孩子们在这里学会飞翔，在快乐中茁壮成长。

目录 mu lu

悦读
趣味动物

乌鸦和狐狸

WU YA HE HU LI

yǒu zhī wū yā jiǎn dào yí kuàir ròu wū yā diāo zhe nà kuàir ròu
有只乌鸦捡到一块儿肉。乌鸦叼着那块儿肉
fēi dào gāo gāo de shù shang zhǔn bèi bǎo cān yí dùn zhè bǎ hú li chán de zhí
飞到高高的树上准备饱餐一顿。这把狐狸馋得直
liú kǒu shuǐ hú li zhàn zài dà shù xià jìng shuō xiē hǎo tīng de huà xiǎng
流口水，狐狸站在大树下，净说些好听的话想
piàn wū yā de ròu kě wū yā gēn běn bù dā li tā hú
骗乌鸦的肉，可乌鸦根本不答理他。狐
li jiàn wū yā bù lǐ cǎi tā biàn jì xù
狸见乌鸦不理睬他，便继续
shuō nǐ nǎ diǎn dōu hǎo jiù shì
说：“你哪点都好，就是
yǒu yí gè zhì mìng de
有一个致命的
quē diǎn
缺点。”
wū yā hái shi
乌鸦还是
bù kēng shēng zhǐ shì
不吭声，只是

tīng zhe nǐ zhì mìng de quē diǎn jiù shì bú huì dà shēng jiào tīng dào zhè
听着。“你致命的缺点就是不会大声叫。”听到这
lǐ wū yā chén bu zhù qì le biàn dà shēng jiào dào shéi shuō wǒ bú huì
里，乌鸦沉不住气了，便大声叫道：“谁说我不会
dà shēng jiào gāng yì shuō wán nà kuàir ròu jiù diào dào le dì
大声叫。”刚一说完，那块儿肉就掉到了地
shang hú li mǎ shàng pǎo guo qu diāo zhe ròu jiù pǎo le
上。狐狸马上跑过去，叼着肉就跑了。

一个人生存的智慧在于敢于面对真实的自己，而不是像故事中的乌鸦那样被虚荣遮住了眼睛，从而落入了狐狸的圈套。

捉老鼠

ZHUO LAO SHU

māo mā ma yǒu sì ge kě ài de hái zi dà máo èr máo sān máo
猫妈妈有四个可爱的孩子：大毛、二毛、三毛
hé sì máo māo mā ma hěn xǐ huan tā men měi tiān dōu jiāng tā men zhào gù
和四毛。猫妈妈很喜欢他们，每天都将他们照顾
de hěn hǎo hěn kuài sì zhī xiǎo māo dōu zhǎng dà le yào xué běn lǐng le
得很好。很快，四只小猫都长大了，要学本领了。
zhè tiān māo mā ma bǎ dà máo èr máo sān máo sì máo dài dào
这天，猫妈妈把大毛、二毛、三毛、四毛带到

le jiāo wài kāi shǐ jiāo tā men zhuō lǎo shǔ de běn lǐng māo mā ma xiān jiǎng jiǎng wán hòu gāng yào shí jiàn
了郊外，开始教他们捉老鼠的本领。猫妈妈先讲，讲完后刚要实践
gěi hái zi men kàn dà máo jiù shuō zhè zhēn shi tài jiǎn dān le wǒ huì le xiàn zài wǒ jiù qù zhuō lǎo
给孩子们看，大毛就说：“这真是太简单了，我会了，现在我就去捉老
shǔ shuō wán jiù zǒu le
鼠。”说完就走了。

māo mā ma dài zhe èr máo sān máo sì máo zhǎo dào le yí gè lǎo shǔ dòng jiù jiāo tā men zěn me
猫妈妈带着二毛、三毛、四毛找到了一个老鼠洞，就教他们怎么
děng lǎo shǔ chū lái děng le hěn cháng shí jiān lǎo shǔ hái shi méi yǒu chū lái èr máo hé sān máo shòu bu liǎo
等老鼠出来，等了很长时间老鼠还是没有出来，二毛和三毛受不了

le jiù duì mā ma shuō zhè tài jiǎn dān le zhǐ
了，就对妈妈说：“这太简单了，只
yào děng zhe jiù kě yǐ le wǒ men yě huì le xiàn
要等着就可以了，我们也会了，现
zài wǒ men yào qù zhuō lǎo shǔ le shuō wán èr máo
在我们要去捉老鼠了。”说完，二毛
hé sān máo yě zǒu le
和三毛也走了。

sì máo hái shi lǎo lǎo shi shi de hé mā ma duǒ zài lǎo
四毛还是老老实实地和妈妈躲在老
shǔ dòng wài miàn yòu guò le hěn cháng shí jiān lǎo shǔ zhōng yú
鼠洞外面，又过了很长时间，老鼠终于
chū lái le zhǐ jiàn māo mā ma xiàng lǎo shǔ měng pū guo qu hái méi děng
出来了。只见猫妈妈向老鼠猛扑过去，还没等
lǎo shǔ fǎn ying guo lai jiù bǎ lǎo shǔ zhuā zhù le mā ma de dòng zuò
老鼠反应过来，就把老鼠抓住了。妈妈的动作

fēi cháng xián shú sì máo kàn zài yǎn li jì zài xīn shang sì máo kāi shǐ zhuō lǎo shǔ le
非常娴熟，四毛看在眼里记在心上，四毛开始捉老鼠了。

wǎn shang dà máo èr máo sān máo dōu méi yǒu zhuō dào lǎo shǔ è zhe dù zi huí le jiā sì máo bù jǐn chī de bǎo bǎo de hái gěi mā ma dài huí le yì zhī lǎo shǔ zuò yè xiāo ne
晚上，大毛、二毛、三毛都没有捉到老鼠，饿着肚子回了家。四毛不仅吃得饱饱的，还给妈妈带回了一只老鼠做夜宵呢。

趣味魔法师

这个故事告诉我们：做事情一定要认真，不要急于求成。要像四毛那样扎实地学东西，才能真正学有所成，千万不要像其他三只小猫那样做事情毛毛躁躁，虎头蛇尾，到最后什么也学不会。

青蛙搬家

QING WA BAN JIA

qīng wā hé dà yàn yì jiā shì lín jū
青蛙和大雁一家是邻居，
tā men cháng cháng zài yì qǐ wán shuǎ gǎn qíng
它们常常在一起玩耍，感情
fēi cháng hǎo kě shì guò le bù jiǔ tā men
非常好。可是过了不久，它们
zhù de dì fang kāi shǐ gān hàn le dà yàn bù
住的地方开始干旱了，大雁不
xí guàn zhè yàng de shēng huó yú shì
习惯这样的生活，于是
jué dìng bān jiā
决定搬家。

zhè tiān tā men
这天，它们
xiàng qīng wā gào bié qīng
向青蛙告别，青
wā shuō wǒ de hǎo
蛙说：“我的好
lín jū wǒ kě shě bu
邻居，我可舍不

de lí kāi nǐ men dà yàn yì jiā yě fā chóu le tā men shuō nà zán men yì qǐ bān jiā ba bú
得离开你们！”大雁一家也发愁了，它们说：“那咱们一起搬家吧！不
guò wǒ men yǒu chì bǎng huì fēi nǐ ne zěn me bàn ne qīng wā tǐng cōng míng xiǎng chū le yí gè hǎo
过我们有翅膀会飞，你呢，怎么办呢！”青蛙挺聪明，想出了一个好
bàn fǎ tā zhǎo lái yì gēn xiǎo gùn zi ràng dà
办法。它找来一根小棍子，让大
yàn gē ge yǎo zhù zhè yì tóu dà yàn sǎo zi yǎo
雁哥哥咬住这一头，大雁嫂子咬
zhù nà yì tóu qīng wā yǎo zhù xiǎo
住那一头，青蛙咬住小
gùn zi de zhōng jiān dà yàn bǎ qīng
棍子的中间。大雁把青
wā dài shàng le tiān
蛙带上了天。
dà yàn
大雁
fēi ya fēi
飞呀，飞
guò yí gè cūn
过一个村
zi cūn li
子。村里
de rén men dōu
的人们都
kàn jiàn le tā men yì qí hǎn dào nǐ men kàn dà yàn dài zhe qīng wā fēi dà yàn kě zhēn cōng
看见了，他们一齐喊道：“你们看，大雁带着青蛙飞，大雁可真聪
míng qīng wā tīng le hěn bù gāo xìng
明。”青蛙听了很不高兴。

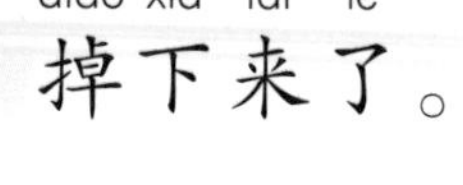

dà yàn fēi guò dì èr ge cūn zi hěn duō rén yòu hǎn qi lai dà
大雁飞过第二个村子，很多人又喊起来：“大
yàn dài zhe qīng wā fēi dà yàn kě zhēn cōng míng qīng wā tīng dào zhè huà qì
雁带着青蛙飞，大雁可真聪明。”青蛙听到这话气
huài le tā zài yě biē bu zhù le jiù dà shēng rǎng qi lai zhè ge bàn
坏了，它再也憋不住了，就大声嚷起来：“这个办
fǎ shì wǒ xiǎng chu lai de kě shì qīng wā gāng bǎ zuǐ ba zhāng kāi jiù
法是我想出来的！”可是，青蛙刚把嘴巴张开，就
diào xia lai le
掉下来了。

愚蠢的青蛙因为听不得对别人的赞美而丢掉了自己的性命，想想多不值呀！我们对待任何不公时，不要急于争辩，因为时间会验证一切的。

井底之蛙

JING DI ZHI WA

zài yì kǒu qiǎn jǐng li zhù zhe yì zhī jiāo
在一口浅井里，住着一只骄
ào de xiǎo qīng wā
傲的小青蛙。

yì tiān xiǎo qīng wā zài jǐng kǒu pèng jiàn le
一天，小青蛙在井口碰见了
cóng dōng hǎi lái de dà biē tā dé yì de
从东海来的大鳖。他得意地
duì dà biē shuō nǐ xiǎng xiàng bu chū wǒ
对大鳖说："你想象不出我
shēng huó zài jǐng li yǒu duō
生活在井里有多
kuài huo dà biē tīng hòu
快活！"大鳖听后，
kāi shǐ gěi xiǎo qīng wā
开始给小青蛙
jiǎng qǐ le dà hǎi
讲起了大海：
dà hǎi shì wú biān
"大海是无边

wú jì de zhǐ yǒu shēng huó zài dà hǎi li cái shì zhēn zhèng de
无际的。只有生活在大海里才是真正的
xìng fú
幸福。”

xiǎo qīng wā tīng de mù dèng kǒu dāi huí tóu wàng wang tā
小青蛙听得目瞪口呆，回头望望他
de nà kǒu qiǎn jǐng bù yóu de liǎn hóng le
的那口浅井，不由得脸红了。

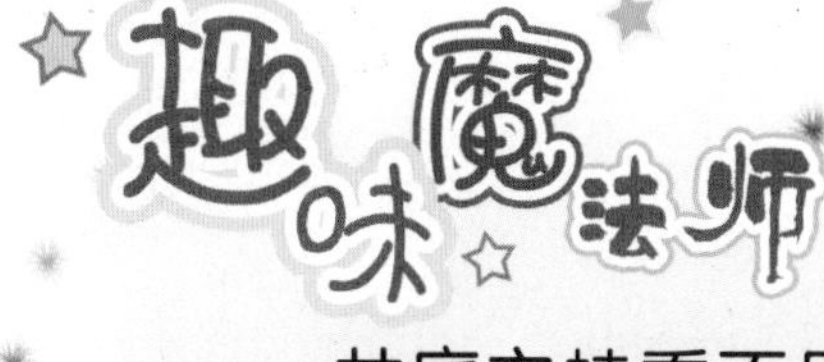

井底之蛙看不见外面的世界，目光短浅。小朋友们可要多多接受知识的阳光雨露，这样不知不觉中我们就成了视野开阔的孩子。

企鹅幼儿园

QI E YOU ER YUAN

xiǎo qǐ é shēn zhe lǎn yāo zuān chū le dàn ké yà hǎo
小企鹅伸着懒腰，钻出了蛋壳。呀！好
kuài a jīn tiān wǒ mǎn yuè la
快啊，今天我满月啦！

bà ba mā ma měi tiān dōu lún liú kān zhe tā xiǎo qǐ é
爸爸妈妈每天都轮流看着他。小企鹅
zuì xǐ huan hé bà ba mā ma dāi zài yì qǐ le yīn wèi
最喜欢和爸爸妈妈待在一起了，因为
zài bà ba mā ma shēn biān měi tiān dōu kě yǐ chī tā zuì
在爸爸妈妈身边，每天都可以吃他最
ài chī de dōng xi ér qiě hái yǒu bà ba mā ma de
爱吃的东西，而且还有爸爸妈妈的
bǎo hù ne
保护呢！

zài yí gè zǎo chen xiǎo qǐ é lǎn lǎn
在一个早晨，小企鹅懒懒
de xǐng le mā ma duì tā shuō hǎo hái zi
地醒了。妈妈对他说：“好孩子，
gāi sòng nǐ qù yòu ér yuán la nǐ bù néng zǒng
该送你去幼儿园啦，你不能总

zài jiā lǐ wánr le
在家里玩儿了。”

xiǎo qǐ é juē zhe zuǐ shuō wǒ kě shì nǐ men wéi yī de hái zi
小企鹅撅着嘴说：“我可是你们唯一的孩子，
nǐ men zěn me shě de bǎ wǒ sòng dào yòu ér yuán qù
你们怎么舍得把我送到幼儿园去？”

bà ba shuō wǒ men dāng rán shě bu de dàn shì hái zi nǐ yīng
爸爸说：“我们当然舍不得。但是，孩子你应
gāi zhī dào wǒ hé nǐ mā ma bǎ nǐ cóng dàn li fū chu lai yòu bǎ nǐ wèi
该知道我和你妈妈把你从蛋里孵出来，又把你喂
de zhè me pàng yǒu duō xīn kǔ ya
得这么胖，有多辛苦呀！”

mā ma yě shuō wǒ men wèi le nǐ shēn tǐ dōu lèi kuǎ le wǒ men
妈妈也说：“我们为了你身体都累垮了，我们
děi dào hǎi biān zhǎo diǎnr hǎo chī de dōng xi cái xíng a
得到海边找点儿好吃的东西才行啊。”

dì èr tiān bà ba mā ma bǎ xiǎo qǐ é sòng jìn yòu ér yuán
第二天，爸爸妈妈把小企鹅送进幼儿园。

qǐ é yòu ér yuán li kě zhēn rè nao a wǒ yòng xiǎo chì bǎng pāi pai
企鹅幼儿园里可真热闹啊！我用小翅膀拍拍
nǐ nǐ yòng xiǎo chì bǎng pāi pai wǒ dà jiā dōu shēn zhe bó zi kāi xīn de
你，你用小翅膀拍拍我。大家都伸着脖子，开心地
jiào zhe bié tí yǒu duō gāo xìng ne
叫着，别提有多高兴呢！

yòu ér yuán li yǒu hǎo jǐ ge qǐ é nǎi nai kān zhe tā men chú le
幼儿园里有好几个企鹅奶奶看着他们，除了
bú ràng tā men luàn pǎo zhī wài hái gěi tā men jiǎng xǔ duō hǎo tīng de
不让他们乱跑之外，还给他们讲许多好听的
gù shi
故事。

měi gé jǐ tiān xiǎo qǐ é de bà ba mā ma jiù lái kàn tā yí cì bìng qiě měi cì dōu gěi tā dài lái zuì hǎo chī de xiǎo xiā hé xiǎo yú
每隔几天，小企鹅的爸爸妈妈就来看他一次，并且每次都给他带来最好吃的小虾和小鱼。

xiǎo qǐ é zài yòu ér yuán li jiāo le xǔ duō hǎo péng you tā men dōu fēi cháng xǐ huan yòu ér yuán jīng cháng hù xiāng bāng zhù hù xiāng guān xīn bǐ rú yào shi yù dào dà de bào fēng xuě suǒ yǒu de qǐ é xiǎo péng yǒu dōu huì jǐn jǐn de jǐ zài yí kuàir zhè yàng dà jiā yì diǎnr dōu bù lěng kě nuǎn huo le
小企鹅在幼儿园里交了许多好朋友，他们都非常喜欢幼儿园，经常互相帮助互相关心。比如，要是遇到大的暴风雪，所有的企鹅小朋友，都会紧紧地挤在一块儿。这样，大家一点儿都不冷，可暖和了。

xiǎo qǐ é zài yòu ér yuán li yì tiān tiān de zhǎng dà le yàng zi gēn bà ba mā ma jī hū yí yàng le
小企鹅在幼儿园里一天天地长大了，样子跟爸爸妈妈几乎一样了。

kuài dào xià tiān de shí hou bà ba mā ma lái jiē tā le bà ba duì tā shuō nǐ xiàn zài zhǎng chéng le dà hái zi gāi qù shàng xué le
快到夏天的时候，爸爸妈妈来接他了。爸爸对他说：“你现在长成了大孩子，该去上学了。”

xiǎo qǐ é shuō xué xiào zài nǎr ya hé yòu ér yuán yí yàng hǎo ma lù yuǎn ma
小企鹅说：“学校在哪儿呀，和幼儿园一样好吗？路远吗？”

qǐ é xué xiào zài dà hǎi li nǐ yào zài dà hǎi li xué huì
"企鹅学校在大海里。你要在大海里学会
yóu yǒng xué huì zhuō yú li
游泳，学会捉鱼哩！"

zhè tài hǎo la xiǎo qǐ é gāo xìng de shǒu wǔ zú
这太好啦！小企鹅高兴得手舞足
dǎo tā gào bié le yòu ér yuán de hǎo péng you jǐn jǐn de
蹈。他告别了幼儿园的好朋友，紧紧地
gēn zài bà ba mā ma de hòu bian yáo yáo bǎi bǎi de xiàng
跟在爸爸妈妈的后边，摇摇摆摆地向
lán sè de dà hǎi pǎo qù le
蓝色的大海跑去了。

jǐn guǎn shí jiān zài liú shì dàn yòu ér yuán de
尽管时间在流逝，但幼儿园的
shēng huó zài xiǎo qǐ é de jì yì li què yuè lái yuè qīng xī
生活在小企鹅的记忆里却越来越清晰。

成长的过程中我们总要经历许多，儿时的生活是最令人难忘的。孩子们，从现在起珍惜我们眼前的时光吧！

拔萝卜

BA LUO BO

cóng qián yǒu ge lǎo yé ye zhòng le yí gè luó
从前，有个老爷爷种了一个萝
bo lǎo yé ye měi tiān dōu gěi luó bo jiāo shuǐ shī féi
卜，老爷爷每天都给萝卜浇水、施肥，
bìng duì tā shuō xiǎo luó bo ya nǐ kuài zhǎng dà ba
并对它说：“小萝卜呀，你快长大吧！”
liǎng ge yuè guò hòu luó bo zhǎng de yòu dà yòu jiē
两个月过后，萝卜长得又大又结
shi lǎo yé ye lè huài le jiù qù bá luó
实。老爷爷乐坏了，就去拔萝
bo kě shì què zěn me yě bá bu chū lái
卜，可是却怎么也拔不出来。

yú shì lǎo
于是老
yé ye biàn jiào lái
爷爷便叫来
le lǎo nǎi nai tā
了老奶奶，他
men shǐ jìnr de
们使劲儿地

拔，可还是拔不出来。他们又把孙子叫来，孙子拉着老奶奶，老奶奶拉着老爷爷，老爷爷拉着大萝卜——一、二、三，用力拔呀！可大萝卜还是拔不出来。

这可把大伙儿急坏了，小猫儿、小狗儿也跑过来帮忙，小猫儿拉着小狗儿，小狗儿拉着孙子，孙子拉着老奶奶，老奶奶拉着老爷爷，老爷爷呀拔萝卜——可萝卜就是不出来。

老爷爷累得直喘气，老奶奶摇头又叹气，小孙子气得直跺脚，小狗儿急得“汪汪”叫，小猫儿急得直“喵喵”。

zī zī zī xiǎo hào zi yě lái bāng
“吱吱吱”小耗子也来帮
máng le yī èr yòng lì bá ya
忙了，“一、二，用力拔呀！
yī èr jiā bǎ jìnr ya zhōng
一、二，加把劲儿呀！”……终
yú tā men bá chū le yí gè hóng tōng tōng
于，他们拔出了一个红彤彤、
shuǐ ling ling de dà luó bo
水灵灵的大萝卜！

趣味魔法师

在大家的共同努力下，萝卜终于被拔出来了。我们做事情也要团结一致，共同努力，这样才能把事情做得又快又好。

最后的灯笼

ZUI HOU DE DENG LONG

yí gè qiū tiān·de shēn yè yǒu yì zhī yǐ jīng lǎo le de yíng huǒ chóng zuò zài zì
一个秋天的深夜，有一只已经老了的萤火虫坐在自
jǐ de jiā mén kǒu mò mò de tīng zhe xiǎo chóng men zòu chū de yīn yuè xiàn zài tā
己的家门口，默默地听着小虫们奏出的音乐。现在，他
yǐ jīng lǎo le bú zài xiàng yǐ qián nà yàng jiàn kāng le bù jǐn lián chì bǎng
已经老了，不再像以前那样健康了，不仅连翅膀
dōu huī bu dòng le zuì yào mìng de shì tā de xiǎo dēng long zhōng fā guāng de
都挥不动了，最要命的是他的小灯笼中发光的
yíng huǒ sù yě yuè lái yuè shǎo le shèn zhì yǐ jīng wú fǎ fēn mì chu lai le
萤火素也越来越少了，甚至已经无法分泌出来了。

yíng huǒ chóng fēi cháng zhēn xī zì jǐ jǐn cún
萤火虫非常珍惜自己仅存
de yì diǎnr yíng huǒ sù tā jué dìng yào bǎ tā zhēn
的一点儿萤火素，他决定要把它珍
cáng hǎo liú zuò yí gè jì niàn
藏好，留做一个纪念。

hū rán yíng huǒ chóng tīng dào le cǎo cóng li chuán lái dī dī de kū qì shēng tā
忽然，萤火虫听到了草丛里传来低低的哭泣声，他
zǒu guo qu yí kàn yuán lái shì yì zhī kě lián de xiǎo mì fēng zhèng zài mǒ yǎn lèi ne
走过去一看，原来是一只可怜的小蜜蜂正在抹眼泪呢！
zhè ge xiǎo jiā huo mí lù zhǎo bu dào jiā le tā tài xiǎo le yíng huǒ chóng xiǎng
这个小家伙迷路找不到家了，他太小了。萤火虫想
le yí xià jué dìng diǎn shàng zì jǐ de xiǎo dēng long bǎ xiǎo mì fēng sòng huí jiā
了一下，决定点上自己的小灯笼，把小蜜蜂送回家。
yíng huǒ chóng zhōng yú bāng xiǎo mì fēng zhǎo dào le jiā tā xiǎng kuài diǎnr fēi
萤火虫终于帮小蜜蜂找到了家，他想快点儿飞

huí jiā kě shì tā de xiǎo dēng long zài bàn lù shang jiù xī miè le zhè zhī lǎo yíng huǒ chóng zhǐ hǎo
回家，可是他的小灯笼在半路上就熄灭了。这只老萤火虫只好
mō hēi fēi le suī rán tā de xiǎo dēng long bú zài liàng le yǒu diǎnr yí hàn dàn shì lǎo yíng huǒ
摸黑飞了，虽然他的小灯笼不再亮了，有点儿遗憾，但是，老萤火
chóng de xīn li réng rán hěn gāo xìng
虫的心里仍然很高兴。

趣味魔法师

老萤火虫用尽自己最后的一点微光把迷路的小蜜蜂送回家，他的奉献精神让我们感动。孩子们，在别人有困难时，我们也要像老萤火虫那样伸出援助之手啊！

小猫钓鱼

XIAO MAO DIAO YU

yǒu yì tiān māo mā ma dài zhe xiǎo māo dào hé biān diào yú xiǎo māo gāng zuò xià
有一天，猫妈妈带着小猫到河边钓鱼。小猫刚坐下

méi yí huìr jiù kàn jiàn yì zhī qīng tíng fēi le guò lái tā zài yě méi yǒu xīn si diào
没一会儿，就看见一只蜻蜓飞了过来，他再也没有心思钓

yú le fàng xià yú gān jiù qù zhuō qīng tíng qīng tíng fēi zǒu le xiǎo māo kōng shǒu huí dào
鱼了，放下鱼竿就去捉蜻蜓。蜻蜓飞走了，小猫空手回到

hé biān yí kàn mā ma yǐ jīng diào dào le yì tiáo dà yú
河边。一看，妈妈已经钓到了一条大鱼。

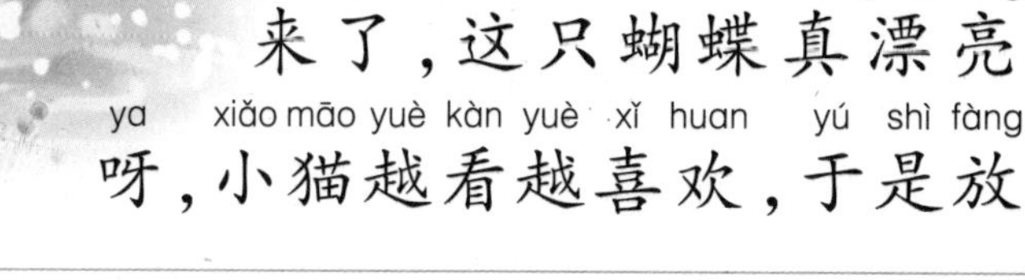

xiǎo māo xīn li xiǎng wǒ
小猫心里想：我

yě yào diào yì tiáo dà yú jiù
也要钓一条大鱼，就

yòu ná qǐ yú gān diào yú bù
又拿起鱼竿钓鱼。不

yí huìr yì zhī hú dié fēi
一会儿，一只蝴蝶飞

lái le zhè zhī hú dié zhēn piào liang
来了，这只蝴蝶真漂亮

ya xiǎo māo yuè kàn yuè xǐ huan yú shì fàng
呀，小猫越看越喜欢，于是放

xià yú gān yòu qù zhuō hú dié le hú dié méi zhuō dào xiǎo māo yòu kōng
下鱼竿，又去捉蝴蝶了。蝴蝶没捉到，小猫又空
zhe shǒu huí dào hé biān yí kàn mā ma yòu diào dào yì tiáo dà yú
着手回到河边。一看，妈妈又钓到一条大鱼。

xiǎo māo duì mā ma shuō wǒ zěn me jiù diào bu dào yú ne
小猫对妈妈说："我怎么就钓不到鱼呢！"

mā ma shuō diào yú yào yì xīn yí yì nǐ yí
妈妈说："钓鱼要一心一意，你一
huìr zhuō qīng tíng yí huìr zhuō hú dié dāng rán
会儿捉蜻蜓，一会儿捉蝴蝶，当然
diào bu dào yú le xiǎo māo tīng le mā ma
钓不到鱼了。"小猫听了妈妈
de huà yì xīn yí yì de diào yú zhōng yú
的话，一心一意地钓鱼，终于
diào dào le yì tiáo dà yú
钓到了一条大鱼。

趣味魔法师

小猫在钓鱼的过程中，由于不专心，结果好半天也没钓上来一条鱼。这个故事告诉我们：专心致志才能把事情做好。

小猪胖胖买糖

XIAO ZHU PANG PANG MAI TANG

xià tiān kě zhēn rè a chī guò wǔ fàn xiǎo zhū pàng pang jiù shàng chuáng shuì wǔ jiào le bù zhī
夏天可真热啊。吃过午饭，小猪胖胖就上床睡午觉了，不知
bù jué zhōng tā jìn rù le tián měi de mèng xiāng zài mèng li tā mèng jiàn zì jǐ guò shēng rì mā ma
不觉中他进入了甜美的梦乡。在梦里，他梦见自己过生日，妈妈
gěi tā mǎi le xǔ duō táng yǒu qiǎo kè lì xiàng pí táng huā shēng táng bàng bàng táng pàng pang kāi
给他买了许多糖，有巧克力、橡皮糖、花生糖、棒棒糖……胖胖开
xīn jí le tā yí kuàir jiē yí kuàir de pǐn cháng zhe zhè xiē táng guǒ tā jué de xìng fú jí le
心极了，他一块儿接一块儿地品尝着这些糖果，他觉得幸福极了。

hū rán mèng xǐng le kě pàng pang hái méi chī gòu ne pàng pang xìng
忽然，梦醒了，可胖胖还没吃够呢，胖胖悻
xìng de róu zhe yǎn jing wú nài de shuō wǒ hái méi chī gòu ne xǐng de
悻地揉着眼睛，无奈地说："我还没吃够呢，醒得
kě zhēn bú shì shí hou yú shì tā cóng chuáng shang qǐ lái bǎ jiā li
可真不是时候。"于是，他从床上起来，把家里
de táng guǒ guàn fān le ge biàn kě shì méi zhǎo dào yí kuàir táng āi dōu
的糖果罐翻了个遍，可是没找到一块儿糖。哎，都
guài mā ma guǎn de tài yán le méi bàn fǎ pàng pang zhǐ hǎo cóng chǔ xù guàn
怪妈妈管得太严了。没办法，胖胖只好从储蓄罐
li ná chū le yì yuán qián dǎ suàn zì jǐ qù mǎi diǎn táng guǒ
里拿出了一元钱，打算自己去买点糖果。

zài qù mǎi táng guǒ de lù shang pàng pang yù dào le xióng ā yí hé xiǎo xióng bèi
在去买糖果的路上，胖胖遇到了熊阿姨和小熊贝
bei xiǎo xióng bèi bei de yí bàn liǎn zhǒng le qǐ lái pàng pang yǒu lǐ mào de wèn ā
贝，小熊贝贝的一半脸肿了起来，胖胖有礼貌地问：“阿
yí nín dài zhe bèi bei qù nǎ le xióng ā yí shuō bèi bei de yá zuó wǎn téng le
姨，您带着贝贝去哪了？”熊阿姨说：“贝贝的牙昨晚疼了
yí yè jīn tiān wǒ dài tā qù yáng yī shēng nà lǐ dǎ xiāo yán zhēn le dōu shì yīn wèi tā
一夜，今天我带他去羊医生那里打消炎针了，都是因为他
tài ài chī táng guǒ le pàng pang guān qiè de wèn bèi bei bèi bei
太爱吃糖果了。”胖胖关切地问贝贝：“贝贝，
dǎ zhēn téng ma bèi bei chóu méi kǔ liǎn de shuō dōu kuài téng sǐ wǒ
打针疼吗？”贝贝愁眉苦脸地说：“都快疼死我
le dàn zǒng bǐ bá yá yào hǎo ba yǐ hòu wǒ zài yě bù chī nà me duō táng guǒ le
了，但总比拔牙要好吧，以后我再也不吃那么多糖果了。”
gào bié le xiǎo xióng mǔ zǐ pàng pang méi yǒu qù shāng diàn mǎi táng guǒ ér shì zhí
告别了小熊母子，胖胖没有去商店买糖果，而是直
jiē qù xué xiào le
接去学校了。

趣味魔法师

糖果虽然好吃，但不能多吃，多吃就会有蛀牙。小朋友们正是长身体的时候，一定要保护好牙齿哦！

小笨猪买东西

XIAO BEN ZHU MAI DONG XI

xiǎo bèn zhū de kù zi pò le tā zhǔn bèi shàng jiē mǎi bù zuò tiáo xīn de yú shì tā dài le yì
小笨猪的裤子破了，他准备上街买布做条新的。于是他带了一
gǎn chèng lái dào le chéng li de bù diàn lù lǎo bǎn shuō nǐ dài chèng lái gàn shén me liáng bù shì yào
杆秤来到了城里的布店，鹿老板说：“你带秤来干什么？量布是要
yòng chǐ zi de xiǎo bèn zhū huàng huang tóu shuō zhī dào le
用尺子的。”小笨猪晃晃头，说：“知道了。”

jiā li de yóu yòng wán le xiǎo bèn zhū shàng jiē mǎi yóu tā dài le yì bǎ chǐ zi yóu diàn de
家里的油用完了，小笨猪上街买油，他带了一把尺子。油店的
gǒu lǎo bǎn shuō nǐ dài chǐ zi lái gàn shén me zhuāng yóu yào yòng sháo zi xiǎo bèn zhū náo nao tóu
狗老板说：“你带尺子来干什么？装油要用勺子。”小笨猪挠挠头，
shuō dǒng le
说：“懂了。”

dì èr tiān xiǎo bèn zhū qù shì chǎng mǎi cài dài le ge sháo zi
第二天，小笨猪去市场买菜，带了个勺子。
mài qīng cài de tù dà shěn duì tā shuō nǐ dài sháo zi lái gàn shén
卖青菜的兔大婶对他说：“你带勺子来干什
me chēng cài yào yòng chèng xiǎo bèn zhū xī xī yí xiào shuō ǹg
么？称菜要用秤。”小笨猪嘻嘻一笑，说：“嗯。”

shí jiān yì tiān tiān guò qù le xiǎo bèn zhū hái shi cōng míng bu qǐ
时间一天天过去了，小笨猪还是聪明不起

lái yì tiān tā de xié mó pò le yào mǎi xīn xié zhè huí tā mí huò le zhè cì dài diǎn
来。一天，他的鞋磨破了，要买新鞋，这回他迷惑了，“这次带点
shén me ne xiǎng le yí huìr tā yì pāi nǎo mén shuō chèng chǐ zi sháo
什么呢？”想了一会儿，他一拍脑门说：“秤、尺子、勺
zi wǒ quán dài qù zhè huí zhǔn méi cuò tā lái dào xié
子我全带去，这回准没错。”他来到鞋
diàn méi xiǎng dào zhè xiē dōng xi dōu méi yòng shàng tā yǒu diǎn
店，没想到这些东西都没用上，他有点
jǔ sàng yú shì tā lì jí shēn chū liǎng zhī jiǎo ràng xǐ què
沮丧。于是他立即伸出两只脚，让喜鹊
yíng yè yuán gěi tā chuān shàng yì shuāng hé shì de xīn xié
营业员给他穿上一双合适的新鞋。

xiǎo bèn zhū gāo gāo xìng xìng de chuān zhe xīn xié xiàng jiā zǒu qù tā jué de zì jǐ hěn cōng míng yīn
小笨猪高高兴兴地穿着新鞋向家走去。他觉得自己很聪明，因
wèi shéi yě méi yǒu gào su tā yào bǎ liǎng zhī jiǎo dài dào xié diàn cái néng mǎi dào hé shì de xīn xié shì
为谁也没有告诉他，要把两只脚带到鞋店才能买到合适的新鞋，是
tā zì jǐ zhè me zuò de
他自己这么做的！

小朋友看完这个故事一定都笑了吧，仔细想想我们有没有犯过类似小笨猪的错误呢？

小青蛙打老狼

XIAO QING WA DA LAO LANG

shù lín li lái le yì zhī xiōng hěn de lǎo láng xiǎo dòng wù men dōu hài pà tā bù gǎn chū lái le
树林里来了一只凶狠的老狼，小动物们都害怕他，不敢出来了。
xiǎo qīng wā xiǎng duō kuài lè de yí gè shù lín lǎo láng yì lái hài de dà huǒr táo de táo
小青蛙想：多快乐的一个树林，老狼一来，害得大伙儿逃的逃，
cáng de cáng dòng yě bù gǎn dòng wǒ děi xiǎng ge bàn
藏的藏，动也不敢动。我得想个办
fǎ dǎ sǐ tā
法打死他。

zhè tiān xiǎo qīng wā pā zài
这天，小青蛙趴在
cǎo dì shang shǐ jìnr de jiào zhe
草地上，使劲儿地叫着。
lǎo láng tīng jiàn
老狼听见
xiǎo qīng wā de jiào shēn
小青蛙的叫声，
lián máng pǎo guo lai rǎng
连忙跑过来嚷
dào nǐ hǎn de hǎo wǒ lǎo
道：“你喊得好，我老

lángzhèngzhǎo bu zháodōng xi chī xiān bǎ nǐ tūn le diàndian dù zi lǎo lángshuō zhe jiù cháoxiǎoqīng wā pū
狼正找不着东西吃，先把你吞了垫垫肚子！”老狼说着就朝小青蛙扑
qù xiǎoqīng wā yí tiào tiào dào zuǒ bian qù le lǎo láng yòu měng de cháoqián yì pū zhè huí
去。小青蛙一跳，跳到左边去了。老狼又猛地朝前一扑，这回
xiǎoqīng wā yòu bèng dào tā shēn hòu qù le
小青蛙又蹦到他身后去了。

zhè shí lǎo láng yòu yǒu le guǐ zhǔ yi shuō xiǎo qīng wā nǐ guāng huì tiào yuǎn bú huì tiào gāo a yào shi nǐ néng tiào gāo wǒ lǎo láng jiù fú nǐ le
这时，老狼又有了鬼主意，说：“小青蛙，你光会跳远，不会跳高啊。要是你能跳高，我老狼就服你了！”

xiǎo qīng wā tīng le bù huāng bù máng de shuō nǐ shuōshuo tiào duō gāo cái suàn gāo a
小青蛙听了，不慌不忙地说：“你说说，跳多高才算高啊？”

zhè yàng ba wǒ zuò zài zhèr yǎng zhe tóu nǐ néng tiào dào wǒ de bí zi jiānr shang jiù
“这样吧！我坐在这儿，仰着头，你能跳到我的鼻子尖儿上，就
suàn nǐ yǒu běn shi
算你有本事。”

xiǎo qīng wā xiǎng le xiǎng shuō hǎo ba lǎo láng nǐ zuò hǎo wǒ yào tiào la
小青蛙想了想说：“好吧，老狼，你坐好，我要跳啦！”

lǎo láng zuò zài dì shang yǎng zhe tóu xīn li xiǎng děng nǐ tiào dào wǒ de bí zi jiānr shang
老狼坐在地上，仰着头，心里想：等你跳到我的鼻子尖儿上，
wǒ jiù yí huàng nǐ zhǔn děi diào jìn wǒ de zuǐ li
我就一晃，你准得掉进我的嘴里！

nǎ zhī dào xiǎo qīng wā wǎng shàng yí bèng méi bèng dào lǎo
哪知道，小青蛙往上一蹦，没蹦到老
láng de bí zi jiānr shang piān piān luò dào le lǎo láng de yòu yǎn
狼的鼻子尖儿上，偏偏落到了老狼的右眼
shang lǎo láng fēi kuài de shēn chū yì zhī zhuǎ zi
上。老狼飞快地伸出一只爪子，
cháo yòu yǎn shang měng de yì zhuā xiǎo qīng
朝右眼上猛地一抓。小青
wā zǎo jiù yǒu fáng bèi le hái méi děng lǎo
蛙早就有防备了，还没等老
láng de zhuǎ zi shēn dào gēn qián tā yí xià
狼的爪子伸到跟前，他一下
zi tiào kāi le lǎo láng zhǐ gù shǐ jìnr
子跳开了。老狼只顾使劲儿
zhuā méi zhuā zháo xiǎo qīng wā dào bǎ zì
抓，没抓着小青蛙，倒把自
jǐ de yòu yǎn zhuā pò le téng de tā
己的右眼抓破了，疼得他

áo áo zhí jiào zhè shí hou xiǎo qīng wā yòu yí tiào tiào dào lǎo láng de zuǒ yǎn shang lǎo láng yòu qì
“嗷嗷”直叫。这时候，小青蛙又一跳，跳到老狼的左眼上，老狼又气
yòu hèn gǎn jǐn shēn chū zhuǎ zi cháo zuǒ yǎn hěn hěn de yì zhuā yòu bǎ zuǒ yǎn zhuā xiā le
又恨，赶紧伸出爪子，朝左眼狠狠地一抓，又把左眼抓瞎了。

jiù zài zhè shí hou xiǎo sōng shǔ ná sōng qiú wǎng lǎo láng de tóu shang rēng xiǎo bái tù zhuā le yì
就在这时候，小松鼠拿松球往老狼的头上扔；小白兔抓了一
bǎ tǔ sǎ dào lǎo láng zhuā pò le de yǎn jing shang téng de lǎo láng zhí huàng nǎo dai xiǎo qīng wā zài yì
把土，撒到老狼抓破了的眼睛上，疼得老狼直晃脑袋。小青蛙在一
biān gāo xìng de yòu xiào yòu chàng
边高兴得又笑又唱。

lǎo láng tīng dào xiǎo qīng wā dē shēng yīn jiù cháo xiǎo qīng wā pū qù zhǐ tīng pū tōng yì shēng
老狼听到小青蛙的声音，就朝小青蛙扑去，只听“扑通”一声，
lǎo láng diào dào le shuǐ li gū dū gū dū guàn le yí dù zi shuǐ zài yě shàng bu lái le
老狼掉到了水里，“咕嘟、咕嘟”灌了一肚子水，再也上不来了。

趣味魔法师

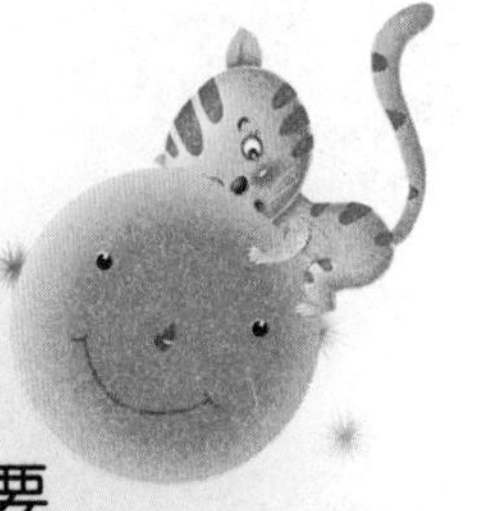

这个故事告诉我们：面对强大的敌人时，不要畏惧，不要退缩，要和大家一起动脑筋想办法，运用智慧战胜他！

鸵鸟妈妈的衣服

TUO NIAO MA MA DE YI FU

shā mò li zhù zhe tuó niǎo bà ba hé tuó niǎo mā ma tuó niǎo bà ba pī zhe yí jiàn hēi sè de dà
沙漠里住着鸵鸟爸爸和鸵鸟妈妈。鸵鸟爸爸披着一件黑色的大
yī hái zài jiān bǎng hé wěi ba shang chā le yì xiē xuě bái de yǔ máo jiǎn zhí piào liang jí le ér tuó
衣，还在肩膀和尾巴上插了一些雪白的羽毛，简直漂亮极了。而鸵
niǎo mā ma què zhěng tiān chuān zhe yí jiàn huī hè sè de yī fu zài shā mò li yì diǎnr dōu bù xiǎn yǎn
鸟妈妈却整天穿着一件灰褐色的衣服，在沙漠里一点儿都不显眼。
tuó niǎo bà ba měi cì zài dǎ lǐ zì jǐ piào liang de yī fu shí dōu guài tuó niǎo mā ma bú huì dǎ ban
鸵鸟爸爸每次在打理自己漂亮的衣服时，都怪鸵鸟妈妈不会打扮。

tuó niǎo mā ma shēng xià le shí méi dàn yì tiān tuó
鸵鸟妈妈生下了十枚蛋。一天，鸵
niǎo mā ma yào chū qù biàn jiào tuó niǎo bà ba tì tā fū dàn
鸟妈妈要出去，便叫鸵鸟爸爸替她孵蛋。

tuó niǎo bà ba fū zhe dàn tū
鸵鸟爸爸孵着蛋，突
rán pēng de yì
然，“砰”的一
shēng yì kē zǐ dàn zài
声，一颗子弹在
tā de tóu dǐng fēi le guò
他的头顶飞了过

qù yuán lái shì liè rén fā xiàn le tā tā jí máng tiào qi lai pīn mìng kuáng
去，原来是猎人发现了他。他急忙跳起来，拼命狂
bēn zhōng yú bǎi tuō le liè rén
奔，终于摆脱了猎人。

tā zhǎo dào le tuó niǎo mā ma bǎ zhè jiàn shì gào su le tā guò le
他找到了鸵鸟妈妈，把这件事告诉了她。过了
liǎng tiān liè rén yòu lái le tuó niǎo mā ma ràng tuó niǎo bà ba gǎn jǐn pǎo ér
两天，猎人又来了。鸵鸟妈妈让鸵鸟爸爸赶紧跑，而
zì jǐ zé yí dòng bú dòng de fú zài wō li tuó niǎo bà ba duǒ dào hěn yuǎn de dì fang qù le liè rén
自己则一动不动地伏在窝里。鸵鸟爸爸躲到很远的地方去了。猎人
zǒu dào tuó niǎo mā ma de páng biān què méi yǒu kàn jiàn gēn zhōu wéi shā shí yán sè yí yàng de tuó niǎo mā
走到鸵鸟妈妈的旁边，却没有看见跟周围沙石颜色一样的鸵鸟妈
ma tuó niǎo bà ba huí lái hòu xiū kuì de shuō hái shi tuó niǎo mā ma de yī fu hǎo cóng cǐ tā zài
妈。鸵鸟爸爸回来后，羞愧地说，还是鸵鸟妈妈的衣服好。从此，他再
yě bù kuā yào zì jǐ de yī fu le
也不夸耀自己的衣服了。

鸵鸟妈妈的衣服虽然不华丽，但是却能防御敌人，鸵鸟爸爸的衣服虽漂亮却险些招来杀身之祸。所以，做人不能爱慕虚荣。

糊涂的小老鼠

HU TU DE XIAO LAO SHU

yì tiān xiǎo lǎo shǔ chèn zhe mā ma bú zhù yì yòu tōu tōu de liū
一天，小老鼠趁着妈妈不注意，又偷偷地溜
chū le jiā mén zhí dào zhōng wǔ cái huí lái yí dào jiā tā jiù xīng fèn
出了家门，直到中午才回来。一到家，他就兴奋
de xiàng mǔ qīn jiǎng shù zhe tā de wài chū jīng lì
地向母亲讲述着他的外出经历。

xiǎo lǎo shǔ shuō wǒ chū le jiā mén yǐ hòu
小老鼠说："我出了家门以后，
pǎo de fēi kuài yì zhí pǎo dào le yuàn zi li zài nà
跑得飞快，一直跑到了院子里。在那
lǐ wǒ kàn jiàn le yì zhī kě pà de dòng wù tā
里，我看见了一只可怕的动物！他
zhǎng zhe huā huā lǜ lǜ de máo shēn zhe bó zi
长着花花绿绿的毛，伸着脖子，
fā chū nán tīng de ō ō de shēng
发出难听的'喔喔'的声
yīn xià de wǒ zhí dǎ duō suo
音，吓得我直打哆嗦！"

shǔ mā ma duì xiǎo lǎo shǔ shuō
鼠妈妈对小老鼠说：

zhè shì yuàn zi li de nà zhī xiǎo gōng jī
“这是院子里的那只小公鸡！”

xiǎo lǎo shǔ yòu shuō zài yuàn zi de chuāng tái
小老鼠又说：“在院子的窗台

shang wǒ yòu kàn dào yì zhī kě ài de dòng wù tā
上，我又看到一只可爱的动物！他

de shēn shang zhǎng zhe róu ruǎn de máo hái yǒu cháng
的身上长着柔软的毛，还有长

cháng de wěi ba jiào shēng yě fēi cháng wēn róu
长的尾巴，叫声也非常温柔。”

shǔ mā ma gǎn jǐn wèn zhè ge kě ài de
鼠妈妈赶紧问：“这个‘可爱’的

dòng wù de jiào shēng shì bu shì miāomiāomiāo de
动物的叫声是不是‘喵喵喵’的？”

xiǎo lǎo shǔ gāo xìng de shuō duì ya wǒ hái
小老鼠高兴地说：“对呀！我还

xiǎng hé tā dǎ zhāo hu ne dàn kàn jiàn xiǎo gōng jī
想和他打招呼呢，但看见小公鸡

xiōng è de yàng zi jiù gǎn kuài pǎo le
凶恶的样子就赶快跑了！”

shǔ mā ma bào zhe
鼠妈妈抱着

kě ài de xiǎo lǎo shǔ
可爱的小老鼠，

shuō nà ge miāo
说：“那个‘喵

miāo jiào de jiā huo shì
喵’叫的家伙是

mão tā shì wǒ men lǎo shǔ de tiān dí nǐ yào shi qù hé tā dǎ zhāo
猫，他是我们老鼠的天敌。你要是去和他打招
hu tā kěn dìng huì yì kǒu chī diào nǐ ér nà ge gōng jī shì hěn wēn shùn
呼，他肯定会一口吃掉你。而那个公鸡是很温顺
de dòng wù shì bú huì shāng hài wǒ men de
的动物，是不会伤害我们的。”

xiǎo lǎo shǔ tīng le mā ma de huà xià de zhí fā
小老鼠听了妈妈的话，吓得直发
dǒu tā zài yě bù gǎn luàn pǎo le
抖，他再也不敢乱跑了。

趣味魔法师

小老鼠由于不认识公鸡和猫，差点送了命。我们只有通过不断地学习，才能拥有丰富的知识，才能更加准确地辨别是非！

小猴子受惩罚

XIAO HOU ZI SHOU CHENG FA

xiǎo hóu zi hěn tān wánr yì diǎnr dōu bù xiǎng shàng
小猴子很贪玩儿，一点儿都不想上
xué zhè tiān xiǎo hóu zi zuò zài jiào shì li tīng jiàn le wài
学。这天，小猴子坐在教室里，听见了外
miàn xiǎo niǎo de jiào shēng tā xiǎng yào shi néng chū qù wánr
面小鸟的叫声。他想：要是能出去玩儿
gāi yǒu duō hǎo a zhōng yú ái dào le zhōng wǔ xiū xi xiǎo
该有多好啊！终于挨到了中午休息。小
hóu zi biàn lí kāi le jiào shì pǎo dào hěn yuǎn de cǎo dì shang
猴子便离开了教室，跑到很远的草地上
qù wánr le cǎo dì shang kě zhēn hǎo wánr a
去玩儿了。草地上可真好玩儿啊！
xiǎo hóu zi yí huìr fān gēn tou yí huìr zhuō
小猴子一会儿翻跟头，一会儿捉
hú dié tā jìng rán wàng jì le shàng kè
蝴蝶。他竟然忘记了上课
de shí jiān děng dào tā xiǎng qi lai
的时间。等到他想起来
de shí hou zǎo jiù shàng kè le
的时候，早就上课了。

xiǎo hóu zi xīn xiǎng gān cuì bú qù le zài zhè li hǎo hāor wánr
小猴子心想：干脆不去了，在这里好好儿玩儿。

tū rán tiān yīn qi lai xiǎo hóu zi hái zài cǎo dì shang wánr tā bù xiǎng huí jiā yě bú yuàn yì huí xué xiào hěn kuài tiān shang jiù luò xià le bīng báo yí kuàir bīng báo zá dào le xiǎo hóu zi de tóu shang xiǎo hóu zi de tóu bèi zá pò le xiǎo hóu zi wǔ zhe tóu huāng zhāng de pǎo huí le jiā
突然，天阴起来，小猴子还在草地上玩儿，他不想回家，也不愿意回学校。很快，天上就落下了冰雹。一块儿冰雹砸到了小猴子的头上，小猴子的头被砸破了。小猴子捂着头慌张地跑回了家。

mā ma wǒ jīn tiān táo kè le tiān shén chéng fá le wǒ yòng xiǎo bīng qiú bǎ wǒ de tóu dǎ
“妈妈，我今天逃课了！天神惩罚了我，用小冰球把我的头打
pò le
破了。”

mā ma jí máng gěi xiǎo hóu zi bāo zā hǎo shāng kǒu qīn qiè de duì tā shuō bú shì tiān shén yào
妈妈急忙给小猴子包扎好伤口，亲切地对他说：“不是天神要
chéng fá nǐ nà shì bīng báo jiù xiàng yǔ xuě yí yàng shì yì zhǒng zì rán xiàn xiàng bīng báo de wēi hài
惩罚你，那是冰雹，就像雨雪一样，是一种自然现象。冰雹的危害
xìng hěn dà huì zá huài hěn duō dōng xi suī rán tiān shén méi yǒu chéng fá nǐ dàn shì mā ma kě bù xǐ
性很大，会砸坏很多东西。虽然天神没有惩罚你，但是妈妈可不喜
huan táo kè de hái zi
欢逃课的孩子。”

xiǎo hóu zi de liǎn hóng le tā zài yě bù táo kè le
小猴子的脸红了，他再也不逃课了。

趣味魔法师

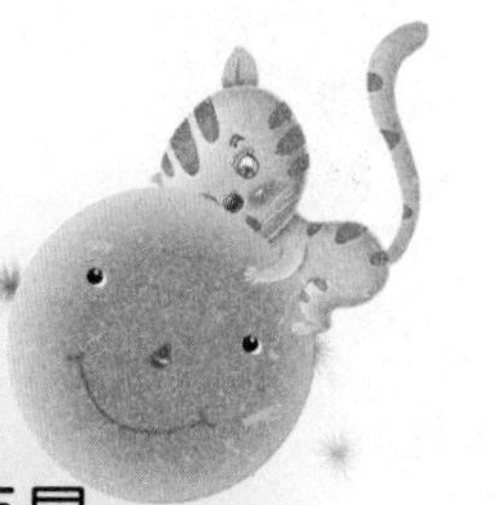

逃课的小猴子遇上了冰雹，不是天在惩罚他，而是他不懂得下冰雹的真正的原因。有许多知识只有从课堂上才能得到，孩子们，你们说小猴子逃课对吗？

狗、公鸡和狐狸

GOU GONG JI HE HU LI

zài hěn yuǎn hěn yuǎn de dì fang yǒu yí piàn měi lì de dà sēn
在很远很远的地方，有一片美丽的大森
lín dà sēn lín li zhù zhe xǔ duō kě ài de dòng wù tā men yóu hóu
林，大森林里住着许多可爱的动物，他们由猴
zi lǐng dǎo zài zhè ge wáng guó li dà jiā xiāng qīn xiāng ài jiù xiàng
子领导，在这个王国里，大家相亲相爱，就像
yì jiā rén yí yàng
一家人一样。

dà gǒu wāng wang hé gōng jī fēi fei shì lín jū
大狗汪汪和公鸡飞飞是邻居，
yě shì zuì yào hǎo de péng you tā men yǒu fú tóng xiǎng
也是最要好的朋友。他们有福同享，
yǒu nàn tóng dāng bǐ cǐ xiāng hù zhào ying
有难同当，彼此相互照应，
hù xiāng bāng zhù
互相帮助。

gōng jī fēi fei měi tiān zǎo chen qǐ
公鸡飞飞每天早晨起
lái hū huàn tài yáng yán shǒu zhe dà zì
来呼唤太阳，严守着大自

rán shēng shēng bù xī de guī lǜ zhāo yáng chuān guò yún céng zhào yào zhe wàn wù chéng
然生生不息的规律。朝阳穿过云层照耀着万物，呈
xiàn chū sēn lín dà dì niǎo shòu zhè xiē zuì jù yǒu yuán shǐ shēng mìng lì de zì
现出森林、大地、鸟兽……这些最具有原始生命力的自
rán fēng jǐng yǔ shēng mìng kōng qì zhēn xīn xiān shēng huó zhēn měi hǎo yí dà
然风景与生命。“空气真新鲜，生活真美好！”一大
zǎo dà gǒu wāng wang biàn fā chū gǎn tàn tā zuò le ge
早，大狗汪汪便发出感叹，他做了个
shēn hū xī tān lán de hū xī zhe huā cǎo de fāng
深呼吸，贪婪地呼吸着花草的芳
xiāng gǎn shòu zhe dà sēn lín li tè yǒu de shù mù
香，感受着大森林里特有的树木
hé ní tǔ de wèi dào zhè yàng de tiān qì dāi zài jiā
和泥土的味道。这样的天气待在家
li tài gū fù lǎo tiān de hòu ài le
里太辜负老天的厚爱了。
yú shì dà gǒu wāng wang yuē hǎo gōng jī
于是大狗汪汪约好公鸡
fēi fei yì tóng qù yóu shān wán shuǐ
飞飞一同去游山玩水。
liǎng ge huǒ bàn hǎo kuài
两个伙伴好快
huo tā men bǎ qīng chè
活。他们把清澈
de xiǎo xī dàng zuò jìng
的小溪当做镜
zi bǔ zhuō bǐ cǐ zài
子，捕捉彼此在

shuǐ zhōng de dào yǐng tā men zài huā cóng zhōng zhuī zhú hú dié hé
水中的倒影；他们在花丛中追逐蝴蝶和
qīng tíng wánr zhuō mí cáng de yóu xì tài yáng kuài yào luò shān
蜻蜓，玩儿捉迷藏的游戏。太阳快要落山
le liǎng ge xiǎo huǒ bàn yě wánr lèi le kě shì yǐ jīng lái
了，两个小伙伴也玩儿累了，可是已经来
bu jí huí jiā le yú shì tā men jué dìng zài shù xià shuì yí
不及回家了，于是他们决定在树下睡一
jiào dà gǒu wāng wang duì hǎo péng you shuō nǐ zài shù shang shuì
觉。大狗汪汪对好朋友说：“你在树上睡
ba wǒ zài xià miàn de shù dòng li shuì wǒ huì bǎo hù nǐ
吧，我在下面的树洞里睡，我会保护你
de gōng jī fēi fei tīng le fēi cháng gāo xìng pāi pai chì
的。”公鸡飞飞听了非常高兴，拍拍翅
bǎng bèn zhòng de fēi shàng le zhī tóu zhǎo le ge
膀，笨重地飞上了枝头，找了个
zuì jiē shi de shù chà ān xīn de shuì jiào le
最结实的树杈安心地睡觉了。

hēi yè hěn kuài guò qù le gōng jī fēi fei
黑夜很快过去了，公鸡飞飞
yǒu zǎo qǐ de hǎo xí guàn tā měi tiān dōu zài lí míng qián qǐ chuáng zuò zuo jiàn shēn cāo rán hòu fàng kāi
有早起的好习惯，他每天都在黎明前起床，做做健身操，然后放开
hóng liàng de gē hóu hū huàn tài yáng shēng qǐ zhè shí sēn lín zhōng yǒu yì zhī jiǎo huá de hú li tīng jiàn
洪亮的歌喉呼唤太阳升起。这时，森林中有一只狡猾的狐狸听见
le gōng jī de jiào shēng xún zhe shēng yīn zǒu le guò lái tā kàn jiàn gōng jī zài shù shang jiù xiàng kàn jiàn
了公鸡的叫声，循着声音走了过来，他看见公鸡在树上就像看见
yí dùn xiāng pēn pēn de jī ròu dà cān yí yàng chán de zhí liú kǒu shuǐ tā de yǎn zhū yí zhuàn jì shàng
一顿香喷喷的鸡肉大餐一样，馋得直流口水。他的眼珠一转，计上

42

xīn lái yú shì zǒu dào shù xià xiào zhe xiàng gōng jī wèn hǎo gōng jī fēi fei jiàn le shuō dào hú li
心来。于是走到树下，笑着向公鸡问好。公鸡飞飞见了说道：“狐狸
xiān sheng hǎo jiǔ bú jiàn le nǐ xiào de yuè lái yuè měi le bǐ huā ér hái měi hú li yī jiù yǐ yí
先生好久不见了，你笑得越来越美了，比花儿还美。”狐狸依旧以一
fù zì rèn wéi hěn mí rén de yàng zi shuō nǐ zhè zhī měi lì de niǎo ér zhēn hǎo měi tiān jiào dà jiā
副自认为很迷人的样子说：“你这只美丽的鸟儿真好，每天叫大家
zǎo qǐ nǐ de sǎng yīn zhēn dòng tīng bǐ bǎi líng niǎo de sǎng yīn hái chū sè nǐ de yǔ máo zhēn měi
早起；你的嗓音真动听，比百灵鸟的嗓音还出色；你的羽毛真美
lì bǐ kǒng què de yǔ máo hái piào liang kuài kuài xià lái zán men jiāo ge péng you ba gōng
丽，比孔雀的羽毛还漂亮。快快下来，咱们交个朋友吧。”公
jī piǎo le hú li yì yǎn méi zài shuō huà hú li jiàn gōng jī bù lǐ huì yòu jiē zhe
鸡瞟了狐狸一眼，没再说话。狐狸见公鸡不理会，又接着

shuō qí shí wǒ yě huì chàng gē
说：“其实我也会唱歌，
bú guò méi yǒu nǐ chàng de hǎo wǒ
不过没有你唱得好，我
men yì qǐ chàng yì zhī gē ba nǐ
们一起唱一支歌吧，你
yě zhǐ diǎn zhǐ diǎn wǒ gōng jī
也指点指点我。”公鸡
jiàn hú li hái bù zǒu jiù duì tā
见狐狸还不走，就对他
shuō nà hǎo nǐ dào shù gēnr
说：“那好，你到树根儿
dǐ xia jiào xǐng shǒu yè de ràng tā
底下，叫醒守夜的，让他
bǎ mén dǎ kāi hú li tīng le lè
把门打开。”狐狸听了乐

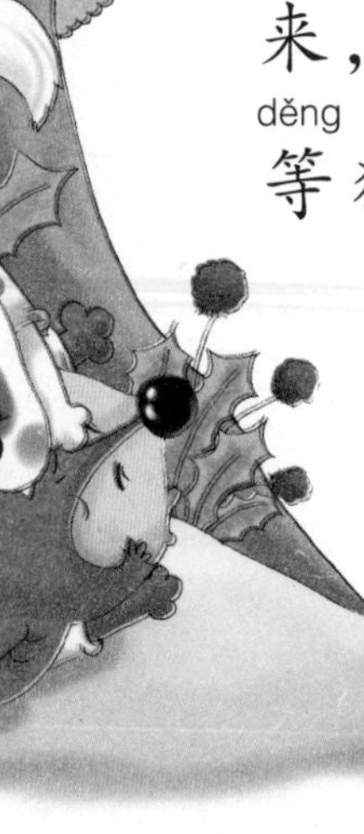

de chà diǎnr méi fān gēn tou tā pǎo dào shù dòng páng gāng bǎ
得差点儿没翻跟头，他跑到树洞旁，刚把
tóu tàn jin qu dà gǒu wāng wang tū rán cóng dòng li tiào le chū
头探进去，大狗汪汪突然从洞里跳了出
lái bǎ hú li xià de tóu pí fā má sì jiǎo fā ruǎn dà gǒu bù
来，把狐狸吓得头皮发麻，四脚发软。大狗不
děng hú li táo pǎo jiù shàng qián yǎo zhù le tā bǎ tā sī chéng
等狐狸逃跑，就上前咬住了他，把他撕成
le suì kuàir wèi sēn lín li de xiǎo dòng wù men chú qù le
了碎块儿，为森林里的小动物们除去了
yí gè dà huài dàn
一个大坏蛋。

趣味魔法师

小公鸡在大狗的帮助下打败了狐狸，为森林里的小动物们除去了祸患。小朋友们可要记住：真正的友情是困境中的互相帮助。

乌鸦和水罐

WU YA HE SHUI GUAN

cóng qián yǒu yì zhī wū yā zài tiān kōng zhōng zì yóu zì zài de fēi xiáng zhe fēi zhe fēi zhe tā
从前，有一只乌鸦在天空中自由自在地飞翔着，飞着飞着他
tū rán jué de kě de yào mìng yú shì tā kāi shǐ xún zhǎo shuǐ kě shì zhǎo le hǎo jiǔ dōu méi yǒu zhǎo dào
突然觉得渴得要命，于是他开始寻找水，可是找了好久都没有找到
yǒu shuǐ de dì fang
有水的地方。

tū rán tā kàn dào dì shang yǒu zhī shuǐ guàn biàn hěn gāo xìng de xiàng tā fēi
突然，他看到地上有只水罐，便很高兴地向它飞
qù dào nà lǐ yí kàn tā gāng cái de xī wàng yí xià zi quán luò kōng le
去。到那里一看，他刚才的希望一下子全落空了。

yuán lái guàn li suī rán yǒu shuǐ dàn shì tài qiǎn
原来，罐里虽然有水，但是太浅、
tài shǎo le tā de zuǐ yà gēnr jiù gòu bu
太少了，他的嘴压根儿就够不
dào guàn li de shuǐ wū yā shí fēn jiāo jí bù
到罐里的水。乌鸦十分焦急不
ān tā zǒu lái zǒu qù guò le yí huìr
安，他走来走去，过了一会儿，
tā tíng le xià lái kāi shǐ yòng lì de tuī nà
他停了下来，开始用力地推那

shuǐ guàn　kě shì wú lùn tā zěn me yòng lì　shuǐ guàn dōu wén sī bú dòng de lì zài nàr
水罐，可是无论他怎么用力，水罐都纹丝不动地立在那儿。

jiē zhe　wū yā jiàn zhè zhǒng fāng fǎ bù xíng　jiù yòu
接着，乌鸦见这种方法不行，就又
xiǎng le qí tā zhǒng bàn fǎ yào hē dào guàn zi zhōng de shuǐ　kě
想了其他种办法要喝到罐子中的水，可
shì　zhè xiē bàn fǎ dōu bù xíng　shuǐ hái shi méi yǒu hē dào
是，这些办法都不行，水还是没有喝到。

wū yā qì huài le dǎ suàn dào bié chù qù jiě kě hū rán tā yǎn qián
乌鸦气坏了，打算到别处去解渴。忽然，他眼前

yí liàng fā xiàn shuǐ guàn fù jìn yǒu yì xiē shí zǐr tā líng jī yí
一亮，发现水罐附近有一些石子儿。他灵机一

dòng jiù diāo qǐ shí zǐr bǎ tā men yì kē yì kē
动，就叼起石子儿把它们一颗一颗

de tóu dào shuǐ guàn li shuǐ miàn zhú jiàn shàng
地投到水罐里。水面逐渐上

shēng zhōng yú wū yā gòu de zháo guàn zhōng
升，终于，乌鸦够得着罐中

de shuǐ le yú shì cōng míng de wū yā jiù xīn
的水了，于是聪明的乌鸦就心

mǎn yì zú de hē le ge bǎo
满意足地喝了个饱。

聪明的乌鸦靠着自己的智慧喝到了水。小朋友们，在遇到困难时，我们一定要沉着冷静，开动脑筋想办法。有时候小智慧能解决大问题。

机智的老山羊 

JI ZHI DE LAO SHAN YANG

yì tiān yè lǐ yì zhī lǎo shān yáng zhèng zài yì jiān pò miào
一天夜里，一只老山羊正在一间破庙
de shén xiàng qián shuì jiào tū rán yì zhī láng chuǎng le jìn lái
的神像前睡觉。突然，一只狼闯了进来！
pò miào li tài hēi le láng zhǐ néng kàn jiàn yí gè hēi yǐng jiù
破庙里太黑了，狼只能看见一个黑影，就
wèn nǐ shì shéi lǎo shān yáng yí kàn shì zhī láng
问："你是谁？"老山羊一看是只狼，
tā jiù shuō wǒ shì
他就说："我是
tiān shén pài lái shōu jí
天神派来收集
láng pí de shǐ zhě
狼皮的使者！"
láng yì tīng xià de pīn
狼一听，吓得拼
mìng táo chū le pò miào
命逃出了破庙。
lù shang tā yù dào
路上，他遇到

le hú li hú li kàn láng rú cǐ huāng zhāng
了狐狸。狐狸看狼如此慌张，
jué dìng péi láng qù miào li kàn kan lǎo shān yáng
决定陪狼去庙里看看。老山羊
kàn jiàn láng hé hú li yì qǐ lái le jiù duì
看见狼和狐狸一起来了，就对
zhe hú li dà hè dào hǎo nǐ ge hú li
着狐狸大喝道：“好你个狐狸，
wǒ míng míng ràng nǐ gěi wǒ dài huí liǎng zhī láng nǐ jìng rán zhǐ dài
我明明让你给我带回两只狼，你竟然只带
huí yì zhī
回一只！”

láng yì tīng yǐ wéi zì jǐ shàng le hú li de dàng xià de niǔ tóu
狼一听，以为自己上了狐狸的当，吓得扭头
jiù pǎo
就跑。

趣味魔法师

遇事冷静才能化险为夷，老山羊正是用他的机智、勇敢逃过了一劫？孩子们，你们会冷静地面对问题吗？

喳喳叫的帽子

ZHA ZHA JIAO DE MAO ZI

yǒu yì kē xiǎo shù tā fēi cháng cū xīn cháng cháng
有一棵小树，他非常粗心，常常
diū dōng xi
丢东西。

yǒu yì tiān xiǎo shù xǐng lái tū rán xiǎng qi lai
有一天，小树醒来，突然想起来，
zì jǐ nà dǐng lǜ róng róng de mào zi bú jiàn le yú shì
自己那顶绿茸茸的帽子不见了。于是
chī guò zǎo fàn xiǎo shù jiù qù zhǎo mào zi le
吃过早饭，小树就去找帽子了。

lù guò cǎo cóng shí xiǎo
路过草丛时，小
shù xiān kāi cǎo cóng zhǎo mào zi
树掀开草丛找帽子，
méi yǒu zhǎo dào lù guò xiǎo hú
没有找到；路过小湖
shí xiǎo shù xiān kāi xiǎo hú de
时，小树掀开小湖的
shuǐ miàn zhǎo mào zi méi yǒu zhǎo
水面找帽子，没有找

dào xiǎo shù pèng jiàn yì zhī xiǎo huáng què xiǎo shù wèn nǐ jiàn dào wǒ de mào zi le ma
到；小树碰见一只小黄雀，小树问：“你见到我的帽子了吗？”

xiǎo huáng què yáo yao tóu rán hòu shuō wǒ bǎ jiā bān dào nǐ tóu shang qù ba zhè yàng nǐ de tóu jiù bú huì xiǎn de nà me guāng tū tū de le
小黄雀摇摇头，然后说：“我把家搬到你头上去吧，这样你的头就不会显得那么光秃秃的了。”

xiǎo shù shuō hǎo ya xiǎo huáng què de yì jiā dōu bān shang lai le xiǎo shù zhī shang xiàng kāi le hǎo duō xiǎo huáng huā shì de xiǎo shù bú xiàng yǐ qián nà me nán kàn le
小树说：“好呀！”小黄雀的一家都搬上来了，小树枝上像开了好多小黄花似的，小树不像以前那么难看了。

xiǎo shù jiē zhe wǎng qián zǒu kàn jiàn xiǎo sōng shǔ men zhèng zài zuò yóu xì xiǎo shù wèn xiǎo sōng shǔ nǐ men jiàn dào wǒ de mào zi le ma
小树接着往前走，看见小松鼠们正在做游戏。小树问小松鼠：“你们见到我的帽子了吗？”

xiǎo sōng shǔ shuō méi kàn jiàn nǐ de mào zi bú guò wǒ
小松鼠说：“没看见你的帽子，不过，我

men néng bān dào nǐ shàng miàn qù zhù ma wǒ men zhǎo bu dào wǒ
们能搬到你上面去住吗?我们找不到我
men de jiā le xíng ya xiǎo shù gāo xìng de dā ying le
们的家了。”“行呀!”小树高兴地答应了。

zhè huìr xiǎo shù xiǎng qi lai le měi nián dōng tiān
这会儿,小树想起来了,每年冬天,
hǎo duō shù dōu bú dài lǜ róng róng de mào zi tā gāo xìng de huí
好多树都不戴绿茸茸的帽子。他高兴地回
jiā le dé yì de shuō qiáo wǒ yǒu yì dǐng zhā zhā jiào de mào zi
家了,得意地说:“瞧,我有一顶喳喳叫的帽子!”

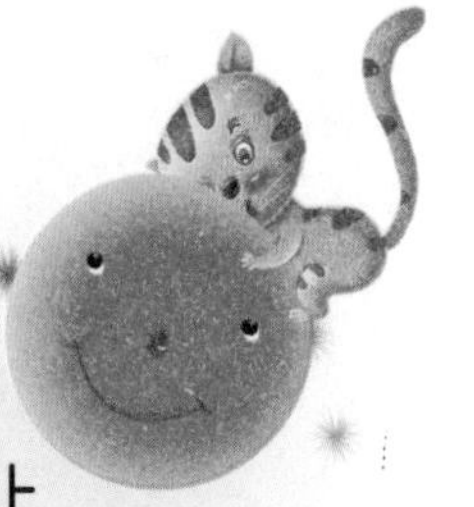

冬天的小树没有了绿茸茸的帽子，但他却让小松鼠和小鸟有了新家，大家的互助互爱让小树很快乐。小朋友，帮助别人才能让自己快乐。

人见人爱的猫女士

REN JIAN REN AI DE MAO NÜ SHI

sēn lín li jiàn qǐ le xǔ duō de lǚ yóu jǐng diǎn xī yǐn le xǔ duō
森林里建起了许多的旅游景点，吸引了许多
dào sēn lín li wánr de yóu kè
到森林里玩儿的游客。

yì tiān zài xiǎo xiàng bèn ben de jiǔ diàn li yíng lái
一天，在小象笨笨的酒店里，迎来
le yí dà pī lái lǚ yóu de xiǎo dòng wù zhè xiē xiǎo dòng
了一大批来旅游的小动物。这些小动
wù lái zì hěn yuǎn de sēn lín yóu yú cháng tú lǚ
物来自很远的森林。由于长途旅
xíng suǒ yǒu de rén dōu lèi jí le zài jiǔ diàn dà
行，所有的人都累极了。在酒店大
tīng xiū xi shí tā men jiù kāi shǐ dǎ qǐ kē shuì
厅休息时，他们就开始打起瞌睡
lai bù yí huìr jiù tīng hū lū hū lū
来。不一会儿就听“呼噜！呼噜！”，
yóu kè men zhēng yǎn yí kàn yuán lái shì kě ài de
游客们睁眼一看，原来是可爱的
māo nǚ shì
猫女士。

dāng fēn fáng jiān shí shéi yě bú yuàn yì hé
当分房间时，谁也不愿意和
māo nǚ shì zhù zài yì qǐ zhǐ yǒu huáng niú tài tai
猫女士住在一起，只有黄牛太太
shuō māo dǎ hū lu ma tǐng píng cháng
说："猫打呼噜嘛，挺平常
de shìr jiù ràng wǒ hé māo nǚ shì yì
的事儿，就让我和猫女士一
qǐ zhù ba
起住吧。"

dì èr tiān tiān gāng mēng
第二天，天刚蒙
mēng liàng lǚ guǎn de dà tīng li
蒙亮，旅馆的大厅里
jiù rè nao qi lai
就热闹起来。

sōng shǔ xiǎo jiě kū kū tí
松鼠小姐哭哭啼
tí de tā de xiǎo jiǎo zhǐ tou shang bāo zhe shā bù yuán lái sōng shǔ xiǎo jiě ài piào liang tā de xiǎo jiǎo
啼的，她的小脚指头上包着纱布。原来，松鼠小姐爱漂亮，她的小脚
zhǐ dōu tú zhe xiāng pēn pēn de hóng sè zhǐ jia yóu lǎo shǔ yǐ wéi nà shì yí kuài táng jiù yǎo pò le sōng
趾都涂着香喷喷的红色指甲油。老鼠以为那是一块糖，就咬破了松
shǔ xiǎo jiě de jiǎo zhǐ tou
鼠小姐的脚指头。

xiǎo bái tù wú jīng dǎ cǎi de shuō wǒ men yì wǎn shang dōu méi shuì zháo yīn wèi lǎo shǔ men zài
小白兔无精打采地说："我们一晚上都没睡着，因为老鼠们在
fáng jiān li kāi le lián huān huì
房间里开了联欢会。"

huān tài tai zhòu zhe méi tóu shuō wǒ dài lái de gān liáng quán ràng lǎo shǔ gěi tōu guāng le

獾太太皱着眉头说："我带来的干粮，全让老鼠给偷光了。"

zhǐ yǒu huáng niú tài tai de jīng shen zuì hǎo tā shuō āi yā wǒ shuì de hǎo jí le wǒ zhè cái zhī dào māo nǚ shì bái tiān shuì jiào dǎ hū lu shì yīn wèi wǎn shang tā yì zhí máng zhe zhuō lǎo shǔ suǒ yǐ fáng jiān li jìng qiāo qiāo de wǒ shuì de yě tè bié de xiāng tián

只有黄牛太太的精神最好，她说："哎呀，我睡得好极了。我这才知道，猫女士白天睡觉打呼噜是因为晚上她一直忙着捉老鼠，所以房间里静悄悄的，我睡得也特别地香甜。"

yú shì dì èr tiān wǎn shang dà huǒr dōu qiǎng zhe yào gēn māo nǚ shì shuì zài yí gè fáng jiān li zhè xià māo nǚ shì kě máng huài le tā shàng bàn yè zài sōng shǔ xiǎo jiě hé xiǎo bái tù de fáng li xià bàn yè shǒu hòu zài huān xiān sheng hé huān tài tai de fáng jiān li zhè yí yè tā yí gòng dǎi zhù le èr shí zhī lǎo shǔ

于是，第二天晚上，大伙儿都抢着要跟猫女士睡在一个房间里。这下猫女士可忙坏了，她上半夜在松鼠小姐和小白兔的房里；下半夜守候在獾先生和獾太太的房间里。这一夜，她一共逮住了二十只老鼠。

zhěng gè lǚ guǎn li de kè rén men dōu shuì de nà me xiāng tián
整个旅馆里的客人们，都睡得那么香甜。

yóu yú zuó tiān wǎn shang dà jiā dōu méi shuì hǎo zhè yí yè dà jiā dōu
由于昨天晚上大家都没睡好，这一夜，大家都

dǎ qǐ le hū lu
打起了呼噜。

bái tiān dāng dà jiā chū qù yóu wánr de shí hou
白天，当大家出去游玩儿的时候，

māo nǚ shì zǒng shì liú zài jiǔ diàn li dǎ hū lu suī rán
猫女士总是留在酒店里打呼噜。虽然

zhěng gè lǚ yóu qī jiān māo nǚ shì cān jiā de yóu wánr hěn
整个旅游期间猫女士参加的游玩儿很

shǎo dàn tā què shì kuài lè de yīn wèi měi ge xiǎo dòng wù
少，但她却是快乐的，因为每个小动物

dōu hěn xǐ huan tā
都很喜欢她。

趣味魔法师

猫女士睡觉打呼噜是因为夜晚抓老鼠的缘故，孩子们，我们在给任何一件事情下结论时，都要先进行调查分析，这样我们才能公正地判断事物。

竹篮打水

ZHU LAN DA SHUI

yǒu yì qún xiǎo hóu zi zài xiǎo hé biān kàn dào yì kē
有一群小猴子，在小河边看到一棵
táo shù shù shang jiē mǎn le táo zi
桃树，树上结满了桃子。

xiǎo hóu men zhāi le yí dà duī táo zi kě shì zěn me
小猴们摘了一大堆桃子。可是怎么
néng bǎ táo zi dài huí jiā ne
能把桃子带回家呢？

zhè shí zhū ā
这时，猪阿
yí tí zhe yí gè dà
姨提着一个大
lán zi zǒu guo
篮子走过
lai tā men qiǎng
来，他们抢
zǒu le zhū ā yí de
走了猪阿姨的
lán zi yòng tā zhuāng
篮子，用它装

shàng táo zi huí jiā le
上桃子回家了。

cóng cǐ yǐ hòu hóu zi men yì chū qù zhāi táo zi huò xiāng jiāo jiù yòng lán zi zhuāng
从此以后，猴子们一出去摘桃子或香蕉，就用篮子装。

yì tiān hóu zi men kě le jiù ná zhe lán zi qù hé biān dǎ xiē shuǐ hē
一天，猴子们渴了，就拿着篮子去河边打些水喝。

hóu zi men lèi de mǎn tóu dà hàn yě méi dǎ shang lai shuǐ tā men hěn qí guài wèi shén me lán zi bù néng zhuāng shuǐ
猴子们累得满头大汗，也没打上来水，他们很奇怪：为什么篮子不能装水？

“竹篮打水一场空”意味着：我们的努力白费了。我们做任何事情都要学会在实践中思考，一旦这条路行不通了，立刻寻找别的途径，这样我们的努力才有价值。

快乐的小棕熊

KUAI LE DE XIAO ZONG XIONG

zōng xióng mā ma yǒu yí gè kě ài de xiǎo zōng xióng bǎo bǎo xiǎo zōng
棕熊妈妈有一个可爱的小棕熊宝宝。小棕
xióng yǐ jīng yǒu bàn suì le shì ge jì guāi qiǎo yòu huó pō de hái zi
熊已经有半岁了，是个既乖巧又活泼的孩子。

zōng xióng mā ma měi tiān dōu dài zhe xiǎo zōng xióng qù zhuā yú xióng mā
棕熊妈妈每天都带着小棕熊去抓鱼。熊妈
ma zhuō de yú yòu duō yòu hǎo
妈捉的鱼又多又好。

xióng mā ma zhuō yú shí xiǎo zōng xióng jiù zài hé
熊妈妈捉鱼时，小棕熊就在河
biān wánr
边玩儿。

xióng mā ma cháng cháng shuō guāi bǎo
熊妈妈常常说：“乖宝
bǎo nǐ yě xué zhe zhuō yì tiáo ba bù
宝，你也学着捉一条吧。”“不
ma bù ma mā ma zhuō de kuài hái shi
嘛，不嘛！妈妈捉得快！还是
mā ma zhuō měi yí cì xiǎo zōng xióng dōu
妈妈捉！”每一次，小棕熊都

zhè yàng huí dá
这样回答。

zhè yì tiān xióng mā ma xiàng wǎng cháng yí yàng tiào dào
这一天，熊妈妈像往常一样，跳到
hé li zhuō yú kě shì tā xiǎn de yǒu qì wú lì de yàng zi
河里捉鱼。可是，她显得有气无力的样子，
hǎo jǐ cì yǎn kàn zhe yú cóng tā de shēn biān yóu guò jiù shì zhuā bu
好几次，眼看着鱼从她的身边游过，就是抓不
zháo xiǎo zōng xióng jí de zài àn shang yòu tiào yòu jiào mā ma yú lái
着。小棕熊急得在岸上又跳又叫：“妈妈，鱼来
lā kuài zhuā ya cóng rì chū dào rì luò xióng mā ma lián yì tiáo yú
啦，快抓呀！”从日出到日落，熊妈妈连一条鱼
yě méi zhuā zháo
也没抓着。

yì lián jǐ tiān dōu shì zhè yàng xióng mā ma è de zǒu bu dòng
一连几天都是这样，熊妈妈饿得走不动

le xiǎo zōng xióng xiǎng mā ma bìng le zài bù chī dōng
了。小棕熊想：妈妈病了，再不吃东

xi shēn tǐ huì shòu bu liǎo de yú shì xiǎo zōng xióng līn qǐ xiǎo
西，身体会受不了的。于是，小棕熊拎起小

tǒng zhí bèn hé biān xiàng mā ma nà yàng tā tiào xià hé pāi dǎ zhe
桶直奔河边。像妈妈那样，他跳下河，拍打着

shuǐ miàn yì tiáo yú yóu guo lai le xiǎo zōng xióng měng de yì zhuā à
水面。一条鱼游过来了，小棕熊猛地一抓，啊！

yú bèi láo láo de zhuā zhù le jiù zhè yàng xiǎo zōng xióng zhuā le yì tiáo
鱼被牢牢地抓住了。就这样，小棕熊抓了一条

yòu yì tiáo yí huìr xiǎo tǒng jiù zhuāng mǎn le
又一条。一会儿，小桶就装满了。

xiǎo zōng xióng līn qǐ tǒng gāo gāo xìng xìng de huí jiā le tā bǎ
小棕熊拎起桶，高高兴兴地回家了。他把

yú zuò hǎo le gěi mā ma chī mā ma de bìng hěn
鱼做好了给妈妈吃，妈妈的病很

kuài jiù hǎo le cóng nà yǐ hòu xiǎo zōng xióng tiān tiān dōu gēn mā ma yì qǐ
快就好了。从那以后，小棕熊天天都跟妈妈一起
qù zhuā yú dàn tā shě bu de ràng mā ma xià shuǐ měi cì dōu shì tā zhuō
去抓鱼，但他舍不得让妈妈下水，每次都是他捉
yú mā ma zài àn shang děng zhe
鱼，妈妈在岸上等着。

kě ài de xiǎo zōng xióng yǐ jīng zhǎng dà le tā bǎ
可爱的小棕熊已经长大了，他把
mā ma zhào gù de hěn hǎo tā kě zhēn shi ge xiào shùn de hǎo
妈妈照顾得很好。他可真是个孝顺的好
hái zi
孩子！

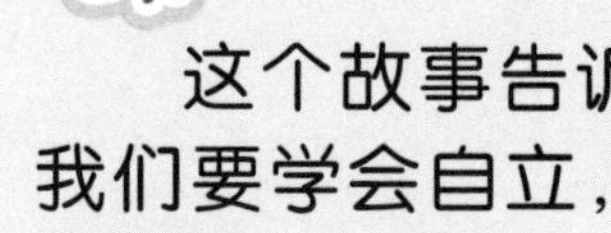

这个故事告诉我们：父母养育我们很辛苦，我们要学会自立，要学会体谅父母，要像小棕熊那样做个懂事的孩子。

聪明的天鹅妈妈

CONG MING DE TIAN E MA MA

zài yí gè měi lì jiē shi de xiǎo tiě fáng zi li tiān é mā ma shēng xià le yì zhī kě ài de
在一个美丽结实的小铁房子里，天鹅妈妈生下了一只可爱的
xiǎo tiān é zhè xià kě chán huài le huài xīn yǎnr de hú li
小天鹅。这下可馋坏了坏心眼儿的狐狸，
tā zhěng tiān dōu xiǎng zhe zěn me chī diào xiǎo tiān é
他整天都想着怎么吃掉小天鹅。

yǒu yì tiān hú li lái qiāo mén jiǎ xīng xīng de
有一天，狐狸来敲门，假惺惺地
shuō tiān é mā ma wǒ yǐ hòu bù chī nǐ men le
说：“天鹅妈妈，我以后不吃你们了，
zán men hé hǎo ba wǒ xiǎng shàng nǐ men jiā zuò
咱们和好吧，我想上你们家做
kè tiān é mā ma shí pò le hú li de qǐ
客。”天鹅妈妈识破了狐狸的企
tú jiǎ zhuāng gāo xìng de shuō hǎo a wǒ
图，假装高兴地说：“好啊，我
zhè mén tài xiǎo le wǒ bǎ nǐ cóng chuāng hu
这门太小了，我把你从窗户
diào jin lai ba
吊进来吧！”

tiān é mā ma cóng chuāng kǒu fàng xià yì gēn jì le huó jié de
天鹅妈妈从窗口放下一根系了活结的
shéng zi hú li bǎ tóu shēn jìn shéng tào li tiān é mā ma yòng lì
绳子，狐狸把头伸进绳套里，天鹅妈妈用力
wǎng shàng lā bù yí huìr jiù bǎ hú li lēi duàn qì le
往上拉，不一会儿，就把狐狸勒断气了！

趣味魔法师

天鹅妈妈在狡猾的狐狸面前表现出了超凡的智慧，完全是出于对小天鹅的爱。小朋友，我们的妈妈也会因为爱我们而变得勇敢。因此，我们一定要做个关爱父母的好孩子。

逃命的鹿

TAO MING DE LU

cóng qián yǒu yì zhī shí fēn měi lì de cháng jiǎo lù zài
从前，有一只十分美丽的长角鹿在
sēn lín zhōng wán shuǎ tā kuài lè jí le bèng a tiào
森林中玩耍，他快乐极了，蹦啊、跳
a jìn qíng de xiǎng shòu zhe shén qí de dà zì rán suǒ
啊，尽情地享受着神奇的大自然所
fù yǔ tā de yí qiè wánr le yí huìr cháng jiǎo
赋予他的一切。玩儿了一会儿，长角
lù kě le yú shì tā lái dào yí chù qīng chè de quán shuǐ
鹿渴了，于是他来到一处清澈的泉水
biān hē shuǐ tā hē le qīng liáng de quán shuǐ jué de
边喝水。他喝了清凉的泉水觉得
hěn shū fu biàn duān xiang qǐ zì jǐ zài shuǐ
很舒服，便端详起自己在水
zhōng de yǐng zi lai cháng jiǎo lù kàn dào
中的影子来。长角鹿看到
zì jǐ měi lì de dào yǐng bù jīn gū
自己美丽的倒影，不禁孤
fāng zì shǎng qi lai wèi zì jǐ měi lì
芳自赏起来，为自己美丽

de jī jiao ér yángyáng zì dé kě shì dāng tā kàn dào zì jǐ de xì tuǐ
的犄角而扬扬自得。可是当他看到自己的细腿
shí què jué de hěn nán wéi qíng mènmèn bú lè qi lai
时却觉得很难为情，闷闷不乐起来。

zhèng zài zhè shí yí tóu shī zi tū rán xiàng tā pū guo
正在这时，一头狮子突然向他扑过
lai cháng jiǎo lù xià de diào tóu jiù pǎo tā de xì tuǐ hěn
来。长角鹿吓得掉头就跑，他的细腿很
yǒu lì liàng pǎo qi lai hěn kuài yí huìr jiù bǎ shī zi là
有力量，跑起来很快，一会儿就把狮子落
xià hǎo yuǎn hǎo yuǎn kě shì shī zi qióng zhuī bù
下好远好远。可是，狮子穷追不
shě dào le cóng lín dì dài cháng jiǎo lù
舍，到了丛林地带，长角鹿
bú shèn bèi shù zhī bàn zhù le jī jiao
不慎被树枝绊住了犄角，
zěn me yě pǎo bu dòng le zhè shí
怎么也跑不动了，这时，
shī zi yǐ jīng yuè lái yuè jìn
狮子已经越来越近
le cháng jiǎo lù hěn zháo jí
了，长角鹿很着急，
kě shì tā què méi yǒu bàn fǎ
可是他却没有办法。
tā zhèng zài děng dài zhe sǐ wáng
他正在等待着死亡
de jiàng lín zuì zhōng shī zi
的降临。最终，狮子

chōng guo lai bǎ cháng jiǎo lù zhuō zhù le
冲过来把长角鹿捉住了。

lín sǐ shí cháng jiǎo lù zì yán zì yǔ de shuō zhè jiū jìng shì zěn
临死时，长角鹿自言自语地说：“这究竟是怎
me huí shì běn yǐ wéi diū rén de tuǐ què zài wēi jí de shí kè jiù le wǒ
么回事？本以为丢人的腿，却在危急的时刻救了我，
ér lìng wǒ zhān zhān zì xǐ de jiǎo zài wǒ jí jiāng táo tuō
而令我沾沾自喜的角，在我即将逃脱
wēi xiǎn de shí hou què shǐ wǒ sàng le mìng
危险的时候却使我丧了命。”

趣味魔法师

这个故事告诉我们：优点和缺点是可以相互转化的。优点可以变成缺点，缺点也可以变成优点。所以，小朋友们要学会正确地看待自己的优点和缺点。

小猴下山

XIAO HOU XIA SHAN

zài yí zuò hěn gāo de dà shān shang zhù zhe yì zhī xiǎo hóu zi tā shén me dōu hǎo jiù shì gàn shén me shì dōu bù néng zhuān xīn ér qiě cháng cháng bàn tú ér fèi

在一座很高的大山上，住着一只小猴子。他什么都好，就是干什么事都不能专心，而且常常半途而废。

yǒu yì tiān tā xiǎng zhěng tiān zhù zài shān shang méi shén me hǎo wánr de hái shi dào shān xià qù zǒu zou shuō bu dìng pèng shàng shén me hǎo chī de hǎo wánr de dài diǎnr huí lái

有一天，他想：整天住在山上没什么好玩儿的，还是到山下去走走，说不定碰上什么好吃的、好玩儿的，带点儿回来。”

yú shì tā jiù tōu tōu de liū xià le shān zǒu ya zǒu ya zǒu le xǔ duō lù tā kàn dào qián miàn yǒu yí piàn táo shù lín táo shù shang jiē mǎn le táo zi táo zi yòu hóng yòu dà xiǎo hóu zi kuài huo jí le tā zì

于是，他就偷偷地溜下了山。走呀，走呀，走了许多路，他看到前面有一片桃树林。桃树上结满了桃子，桃子又红又大。小猴子快活极了，他自

yán zì yǔ de shuō zhè xiē táo
言自语地说："这些桃
zi duō dà duō hǎo kàn bǐ shān shang
子多大多好看，比山上
de shòu táo zi hǎo duō le zhāi yí
的瘦桃子好多了，摘一
gè dài hui qu
个带回去。"

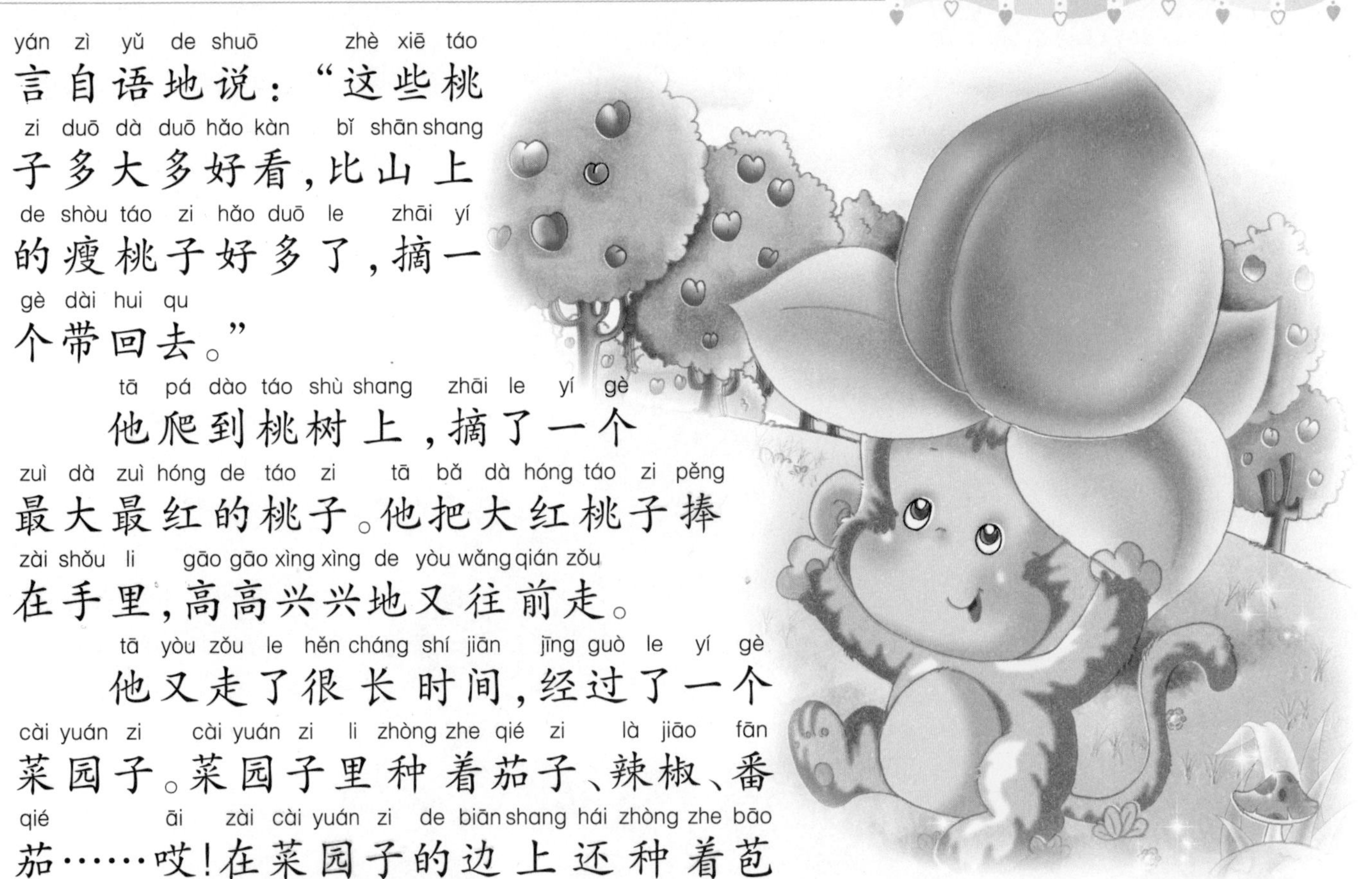

tā pá dào táo shù shang zhāi le yí gè
他爬到桃树上，摘了一个
zuì dà zuì hóng de táo zi tā bǎ dà hóng táo zi pěng
最大最红的桃子。他把大红桃子捧
zài shǒu li gāo gāo xìng xìng de yòu wǎng qián zǒu
在手里，高高兴兴地又往前走。

tā yòu zǒu le hěn cháng shí jiān jīng guò le yí gè
他又走了很长时间，经过了一个
cài yuán zi cài yuán zi li zhòng zhe qié zi là jiāo fān
菜园子。菜园子里种着茄子、辣椒、番
qié āi zài cài yuán zi de biān shang hái zhòng zhe bāo
茄……哎！在菜园子的边上还种着苞
mǐ ne xiǎo hóu zi zhǐ zhe bāo mǐ shuō zhè wán yìr chuān zhe lǜ lǜ de páo zi zhǎng zhe cháng cháng
米呢！小猴子指着苞米说："这玩意儿穿着绿绿的袍子，长着长长
de hú zi shān shang kě méi yǒu tā wǒ zhāi yí gè dài hui qu
的胡子，山上可没有它，我摘一个带回去。"

tā rēng xià táo zi diǎn zhe jiǎo bāi xià yí gè dà bāo mǐ zài bǎ bāo mǐ bēi zài jiān shang gāo
他扔下桃子，踮着脚，掰下一个大苞米，再把苞米背在肩上，高
gāo xìng xìng de wǎng qián zǒu le
高兴兴地往前走了。

xiǎo hóu zi yòu wǎng qián zǒu le yí duàn lù tā jīng guò yí kuài guā dì guā dì lǜ yóu yóu de
小猴子又往前走了一段路。他经过一块瓜地。瓜地绿油油的，
yí gè gè dà xī guā gǔn yuán gǔn yuán de zhèng cháo zhe tā xiào ne xiǎo hóu zi lè de yáo tóu huàng wěi
一个个大西瓜滚圆滚圆的，正朝着他笑呢！小猴子乐得摇头晃尾
de shuō zhèr de dà xī guā zhēn hǎo shān
地说：“这儿的大西瓜真好，山
shang kě méi yǒu wǒ zhāi yí gè dài hui qu
上可没有，我摘一个带回去。”
tā rēng xià bāo mǐ pā
他扔下苞米，趴
zài dì shang zhāi le ge dà xī
在地上摘了个大西
guā bào zài huái li gāo gāo
瓜，抱在怀里，高高
xìng xìng de yòu wǎng qián zǒu
兴兴地又往前走。

zǒu ya
走呀，
zǒu ya dà xī
走呀，大西
guā tài zhòng le
瓜太重了，
bǎ xiǎo hóu zi
把小猴子
lèi de zhí chuǎn
累得直喘
cū qì tā jiù fàng
粗气。他就放
xià xī guā yí pì gu zuò zài
下西瓜，一屁股坐在
dì shang xiū xi hū rán yì zhī yě tù cóng tā
地上休息。忽然，一只野兔从他
shēn biān pǎo guò xiǎo hóu zi yí xià zi bèng qi lai dà
身边跑过，小猴子一下子蹦起来，大
shēng shuō yào shi zhuā zhī tù zi huí qù jiù gèng dài jìnr la
声说："要是抓只兔子回去，就更带劲儿啦！"

tā diū xià xī guā xiàng yě tù pū qù nà tù zi yí bèng yí tiào de
他丢下西瓜，向野兔扑去。那兔子一蹦一跳地
zài qián miàn pǎo xiǎo hóu zi yí bèng yí tiào de zài hòu miàn zhuī kě shì tù zi pǎo de tài kuài le yí
在前面跑，小猴子一蹦一跳地在后面追。可是，兔子跑得太快了，一
xià zi jiù méi yǐng le
下子就没影了。

tiān màn màn de hēi xia lai xiǎo hóu zi jué de yǒu diǎnr hài pà gǎn jǐn wǎng huí zǒu xiǎo hóu
天慢慢地黑下来，小猴子觉得有点儿害怕，赶紧往回走。小猴

zi liǎng shǒu kōng kōng de huí dào le shān
子两手空空地回到了山
shang tā zǒng shì xǐ xīn yàn jiù bàn
上。他总是喜新厌旧、半
tú ér fèi suǒ yǐ shén me yě méi
途而废，所以什么也没
dé dào
得到。

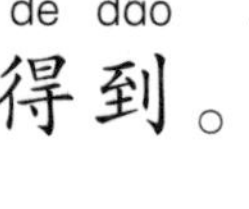

小猴子忙碌了一天什么也没得到。这个故事告诉我们：我们无论做什么事都要一心一意，不要半途而废，只有这样我们才能取得成功。

小猪的新房子

XIAO ZHU DE XIN FANG ZI

zhū mā ma zhāi le hǎo duō hǎo duō de shū cài hé shuǐ guǒ bǎ tā men fàng jìn le zì jǐ de xiǎo mù wū li fàng de mǎn mǎn de yì zhí duī dào mén kǒu kě shì zhè yàng yì lái zhū mā ma hé xiǎo zhū jiù zhǐ hǎo zài fáng zi wài miàn zhù le

猪妈妈摘了好多好多的蔬菜和水果，把它们放进了自己的小木屋里，放得满满的，一直堆到门口。可是这样一来，猪妈妈和小猪就只好在房子外面住了。

zhè shí xià qǐ le dà yǔ yǔ shuǐ jiāo zài tā men de liǎn shang shēn shang tā men hún shēn shī lín lín de mā ma wèi shén me wǒ men bù duǒ zài fáng zi li bǎ shuǐ guǒ fàng zài wài miàn ne zhū

这时下起了大雨，雨水浇在他们的脸上、身上，他们浑身湿淋淋的。“妈妈，为什么我们不躲在房子里，把水果放在外面呢？”猪

mā ma shuō nà bù xíng shuǐ guǒ fàng zài wài miàn huì diū de
妈妈说："那不行，水果放在外面会丢的。"

yǒu yì tiān xiǎo zhū tū rán xiǎng dào yí gè hǎo zhǔ yi
有一天，小猪突然想到一个好主意，
tā zào le liǎng zuò shuǐ guǒ wū wū dǐng shì yòng xiāng jiāo pái chéng
他造了两座水果屋，屋顶是用香蕉排成
de qiáng bì shì yòng huáng guā zuò chéng de chuāng hu sì zhōu
的，墙壁是用黄瓜做成的，窗户四周
xiāng zhe píng guǒ lí hé pú táo shuǐ guǒ fáng zi zào chéng hòu
镶着苹果、梨和葡萄。水果房子造成后，
xiǎo zhū hé mā ma yì rén shuì yì jiān kuān chǎng yòu shū shì xiǎo zhū hái
小猪和妈妈一人睡一间，宽敞又舒适。小猪还
yòng shèng xià de shū cài hé shuǐ guǒ zuò le hěn duō jiā jù
用剩下的蔬菜和水果做了很多家具……

zhū mā ma gāo xìng de shuō wǒ de xiǎo zhū kě zhēn cōng míng zhù zài shuǐ guǒ fáng zi li jì shū
猪妈妈高兴地说："我的小猪可真聪明，住在水果房子里，既舒
shì yòu ān quán
适又安全。"

趣味魔法师

能住在水果房子里是一件多幸福的事情啊，小朋友们，你们说小猪是不是很聪明呢？你们也要学习小猪啊，遇到问题时，要动脑筋想办法来解决哦！

谁跑得快

SHEI PAO DE KUAI

tù zi hé liè gǒu shì yí duì hǎo péng you tā men zhù de hěn jìn jīng cháng zài
兔子和猎狗是一对好朋友。他们住得很近，经常在

yì qǐ wánr
一起玩儿。

yì tiān tā men liǎng ge rén bǐ sài kàn dào dǐ shéi pǎo de kuài hěn duō xiǎo
一天，他们两个人比赛看到底谁跑得快！很多小

dòng wù tīng shuō le dōu lái kàn rè nao
动物听说了，都来看热闹。

tù zi duì liè gǒu shuō wǒ men rào zhè zuò shān
兔子对猎狗说：“我们绕这座山

pǎo sān quān nǐ gǎn bu gǎn bǐ liè gǒu dāng rán bú huì
跑三圈，你敢不敢比？”猎狗当然不会

fú shū dāng chǎng jiù jué dìng hé tù zi bǐ yi bǐ
服输，当场就决定和兔子比一比。

zhè chǎng bǐ sài zài sēn lín zhōng kě shì yí jiàn dà
这场比赛在森林中可是一件大

shì zhī chí tù zi de dòng wù men gāo hū xiǎo tù zi
事。支持兔子的动物们高呼：“小兔子

zuì bàng xiǎo tù zi zuì bàng zhī chí liè gǒu de dòng
最棒，小兔子最棒！”支持猎狗的动

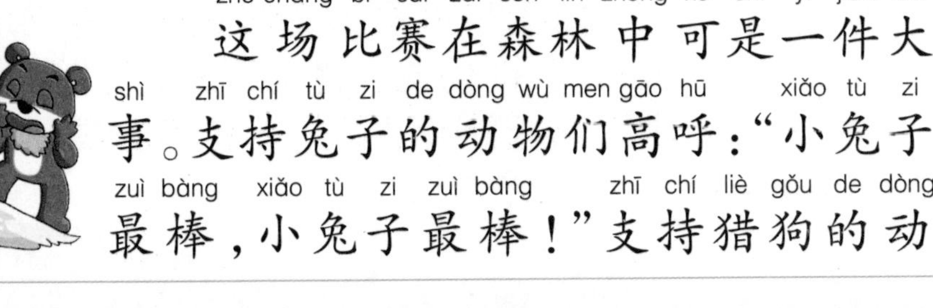

wù men dà hǎn　liè gǒu bì shèng
物们大喊："猎狗必胜！"

tù zi shǒu xiān chōng le guò lái　rán ér　tā dǎo zài zhōng diǎn xiàn shang　qǐ bu
兔子首先冲了过来。然而，他倒在终点线上，起不
lái le　liè gǒu yǐ yí bù zhī chā bài gěi le tù zi　tā dào zhōng diǎn shí qì
来了。猎狗以一步之差败给了兔子，他到终点时气
dōu chuǎn bu shàng lái le
都喘不上来了。

liǎng ge hǎo péng you zài jiā li tǎng le hǎo jǐ tiān　cái
两个好朋友在家里躺了好几天，才
xiē guo lai　tā men hòu huǐ jí le　tù zi qǐ chuáng róu rou zì
歇过来。他们后悔极了。兔子起床揉揉自
jǐ de tuǐ　jué dìng qù xiàng liè gǒu dào qiàn　tā gāng kāi mén jiù
己的腿，决定去向猎狗道歉。他刚开门就
kàn jiàn liè gǒu zhàn zài mén kǒu　liǎng ge hǎo péng you dōu xiào le
看见猎狗站在门口，两个好朋友都笑了。

趣味魔法师

小兔子和猎狗通过这次比赛都明白了一个道理：友谊第一，比赛第二。朋友之间要团结起来，共同进步。孩子们，你们说呢？

诚实勇敢的小蜗牛

CHENG SHI YONG GAN DE XIAO WO NIU

xiǎo wō niú jiǎn dào yì gēn piàoliang de yǔ máo jiù qù wèn xiǎo sōng shǔ qǐng wèn zhè
小蜗牛捡到一根漂亮的羽毛，就去问小松鼠：“请问这
shì nǐ diū de yǔ máo ma xiǎo sōng shǔ xiào de zhí bu qǐ yāo shuō cóng lái méi yǒu tīng
是你丢的羽毛吗？”小松鼠笑得直不起腰，说：“从来没有听
shuō guo sōng shǔ zhǎng yǔ máo de
说过松鼠长羽毛的。”

xiǎo wō niú yòu wèn shuǐ
小蜗牛又问水
niú shuǐ niú bó bo nín hǎo wǒ jiǎn
牛：“水牛伯伯您好！我捡

dào yì gēn yǔ máo shì bu shì nín de a
到一根羽毛，是不是您的啊？”

wǒ kě shén me dōu méi diū a nǐ qù wèn wen bié ren ba
“我可什么都没丢啊，你去问问别人吧。”

zhè shí shī zi kàn dào le jiù shuō nǐ zì jǐ liú zhe bù xíng ma
这时，狮子看到了就说：“你自己留着不行吗？”

xiǎo wō niú shuō nà kě bù xíng zhè bú shì wǒ de dōng xi wǒ
小蜗牛说：“那可不行，这不是我的东西，我
zěn me néng yào ne
怎么能要呢？”

xiǎo wō niú pá a pá a lèi de zǒu bu dòng le yè yīng kàn jiàn
小蜗牛爬啊爬啊，累得走不动了。夜莺看见
le tā jiù wèn nǐ qù nǎr a hái zi
了他，就问：“你去哪儿啊，孩子？”

wǒ yào zhǎo dào zhè gēn yǔ máo de zhǔ rén
“我要找到这根羽毛的主人。”

yè yīng còu jìn yí kàn shuō zhè shì tuó niǎo de yǔ máo a yí dìng shì kào jìn
夜莺凑近一看，说：“这是鸵鸟的羽毛啊，一定是靠近

趣味魔法师

小蜗牛历尽了千辛万苦终于把羽毛还给了失主。孩子们，拾金不昧是一种优秀的品质，如果你拾到了东西，你会怎么做？

sēn lín de huāng yuán shang de tuó niǎo diū de
森林的荒原上的鸵鸟丢的。”

xiǎo wō niú yì tīng yòu lái le lì qi tā zhǎo a zhǎo a zhōng yú
小蜗牛一听，又来了力气。他找啊找啊，终于
zhǎo dào le yǔ máo de zhǔ rén tuó niǎo tuó niǎo rè qíng de jiē dài le
找到了羽毛的主人——鸵鸟。鸵鸟热情地接待了
xiǎo wō niú bìng chēng zàn tā shuō hǎo hái zi nǐ kě zhēn liǎo bu qǐ xiè
小蜗牛，并称赞他说：“好孩子，你可真了不起，谢
xie nǐ nǐ shì ge chéng shí de hái zi tiān sè yǐ jīng hěn wǎn le nǐ mā
谢你！你是个诚实的孩子。天色已经很晚了，你妈
ma huì dān xīn nǐ de wǒ sòng nǐ huí jiā ba
妈会担心你的，我送你回家吧！”

yú shì tuó niǎo bēi qǐ le xiǎo wō niú cháo sēn lín pǎo qù yì zhǎ yǎn
于是鸵鸟背起了小蜗牛，朝森林跑去。一眨眼
de gōng fu jiù dào le xiǎo wō niú de jiā
的工夫就到了小蜗牛的家。

学吹喇叭的小公鸡

XUE CHUI LA BA DE XIAO GONG JI

cóng qián yǒu yì zhī xiǎng xué chuī lǎ ba de xiǎo gōng jī jī mā ma
从前，有一只想学吹喇叭的小公鸡。鸡妈妈
gào su tā dà gōng jī huì chuī lǎ ba tā měi tiān chuī sān biàn yú shì xiǎo
告诉他，大公鸡会吹喇叭，他每天吹三遍。于是小
gōng jī jué dìng qù zhǎo dà gōng jī xué chuī lǎ ba
公鸡决定去找大公鸡学吹喇叭。

tiān yí liàng xiǎo gōng jī jiù dài zhe tā xīn ài de lǎ ba shàng lù
天一亮，小公鸡就带着他心爱的喇叭上路
le tā zhǎo dào le dà gōng jī duì dà gōng jī shuō wǒ xiǎng gēn nín
了。他找到了大公鸡，对大公鸡说：“我想跟您

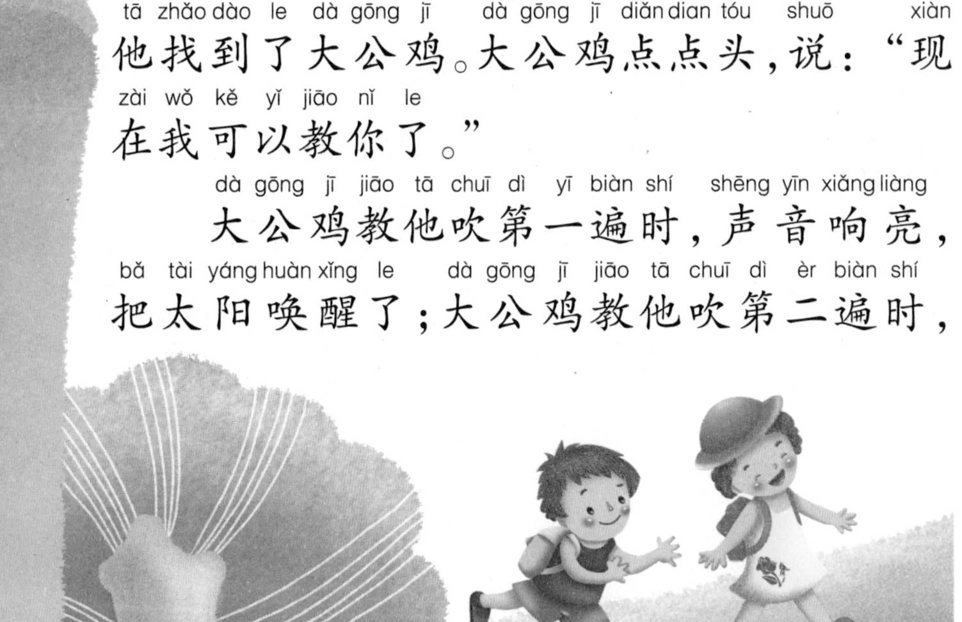

xué chuī lǎ ba nín néng jiāo wǒ ma
学吹喇叭，您能教我吗？”

dà gōng jī shàng xià dǎ liang zhe tā shuō
大公鸡上下打量着他说：

nǐ lái wǎn le wǒ yǐ jīng chuī guò sān biàn
“你来晚了，我已经吹过三遍

le nǐ míng tiān zài lái ba xiǎo gōng jī zhǐ
了，你明天再来吧！”小公鸡只

hǎo sǎo xìng de huí qù le
好扫兴地回去了。

dì èr tiān tiān hái méi liàng xiǎo gōng jī jiù qǐ lái le
第二天天还没亮，小公鸡就起来了，

tā zhǎo dào le dà gōng jī dà gōng jī diǎn dian tóu shuō xiàn
他找到了大公鸡。大公鸡点点头，说：“现

zài wǒ kě yǐ jiāo nǐ le
在我可以教你了。”

dà gōng jī jiāo tā chuī dì yī biàn shí shēng yīn xiǎng liàng
大公鸡教他吹第一遍时，声音响亮，

bǎ tài yáng huàn xǐng le dà gōng jī jiāo tā chuī dì èr biàn shí
把太阳唤醒了；大公鸡教他吹第二遍时，

shēng yīn qīng cuì gào su rén men gāi qǐ chuáng le dà gōng jī jiāo tā chuī dì sān biàn shí shēng yīn dòng
声音清脆，告诉人们该起床了；大公鸡教他吹第三遍时，声音动
tīng sòng xiǎo péng yǒu men qù shàng xué
听，送小朋友们去上学。

xiǎo gōng jī rèn zhēn de tīng zhe láo láo de jì zhù le huí qù hòu tā rèn zhēn de liàn xí guò
小公鸡认真地听着，牢牢地记住了。回去后，他认真地练习。过
le jǐ tiān tā jué dìng zhèng shì chuī yí cì dāng tā chuī dì yī biàn shí shēng yīn xiǎng liàng bǎ tài yáng
了几天，他决定正式吹一次。当他吹第一遍时，声音响亮，把太阳
huàn xǐng le chuī dì èr biàn shí shēng yīn qīng cuì gào su rén men gāi qǐ chuáng le chuī dì sān biàn shí
唤醒了；吹第二遍时，声音清脆，告诉人们该起床了；吹第三遍时，
shēng yīn dòng tīng sòng xiǎo péng yǒu men qù shàng xué
声音动听，送小朋友们去上学。

xiǎo gōng jī chéng gōng le tā gāo xìng de shuō wǒ zhōng yú huì chuī lǎ ba le
小公鸡成功了！他高兴地说："我终于会吹喇叭了！"

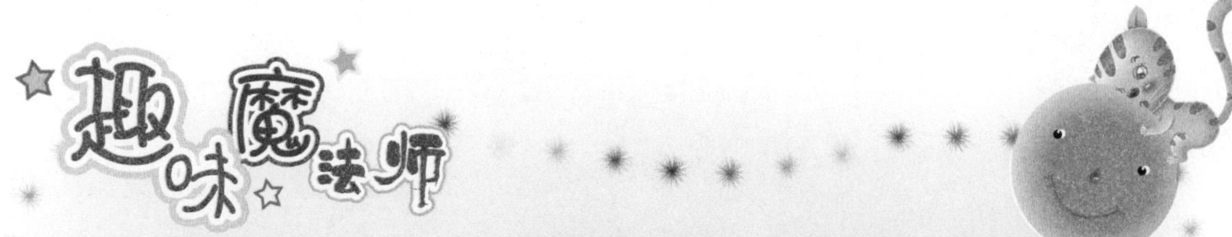

经过两次奔波，小公鸡终于学会了吹喇叭。这个故事告诉我们：学习最怕的是"认真"二字，只要我们能认真学习，成功便不再遥不可及。

燕子和杜鹃

YAN ZI HE DU JUAN

zài yí gè měi lì de rì zi li yàn zi xián lái shù
在一个美丽的日子里，燕子衔来树
zhī hé ní tǔ zhù le yí gè yòu nuǎn huo yòu jiē shi de
枝和泥土筑了一个又暖和、又结实的
wō yīn wèi tā jiù yào zuò mā ma le
窝，因为她就要做妈妈了。
dù juān yě yào zuò mā ma le kě
杜鹃也要做妈妈了，可
tā shén me yě bù zhǔn bèi měi tiān fēi lái
她什么也不准备，每天飞来
fēi qù de kàn shéi de wō zhù de hǎo tā
飞去地看谁的窝筑得好。她
kàn dào yàn zi de wō zhù de hǎo biàn
看到燕子的窝筑得好，便
xiàng yàn zi de wō fēi qù
向燕子的窝飞去。

nǐ hǎo a yàn zi dù juān zhuāng chū shí fēn qīn rè de yàng zi shuō
“你好啊，燕子！”杜鹃装出十分亲热的样子说。
yàn zi yě bù hǎo yì si niǎn dù juān chū qù tā zǒu chū wō lai qǐng dù juān jìn qù le
燕子也不好意思撵杜鹃出去。她走出窝来，请杜鹃进去了。

dù juān xué zhe yàn zi fū dàn de yàng zi dūn xià shēn zi shuō duō me shū
杜鹃学着燕子孵蛋的样子，蹲下身子说：“多么舒
fu a ràng wǒ duō dāi yí huìr guò le hǎo yí huìr dù juān cái cóng
服啊！让我多待一会儿。”过了好一会儿，杜鹃才从
wō li zǒu chu lai
窝里走出来。

yàn zi jiē zhe fū dàn tā méi yǒu fā xiàn zài tā
燕子接着孵蛋，她没有发现，在她
de chì bǎng xià miàn duō le yí gè dù juān dàn
的翅膀下面多了一个杜鹃蛋。

fū dàn de rì zi guò de zhēn màn
孵蛋的日子过得真慢
a yàn zi nài xīn de děng zhe zhōng
啊！燕子耐心地等着。终
yú chì bǎng dǐ xia yǒu zhuó dàn ké de
于，翅膀底下有啄蛋壳的
shēng yīn le
声音了。

yàn zi bǎ nà zhī pò ké de
燕子把那只破壳的
dàn yí dào miàn qián yí kàn xiǎo niǎo
蛋移到面前，一看，小鸟
de nǎo dai shēn le chū lái yàn zi mā ma gāo xìng jí le bāng zhù tā chū le dàn ké tā cí ài de
的脑袋伸了出来。燕子妈妈高兴极了，帮助他出了蛋壳。她慈爱地
kàn zhe tā de dì yī ge hái zi yòng zuǐ shū lǐ zhe tā yòu shī yòu luàn de yǔ máo
看着她的第一个孩子，用嘴梳理着他又湿又乱的羽毛。

zhè zhī xiǎo niǎo de gèr bǐ yì bān gāng chū ké de xiǎo niǎo yào dà de duō yàn zi mā ma zhǐ gù
这只小鸟的个儿比一般刚出壳的小鸟要大得多。燕子妈妈只顾

gāo xìng gēn běn méi zhù yì dào nà shì zhī xiǎo dù juān
高兴，根本没注意到那是只小杜鹃。

guò le jǐ tiān lìng wài sān zhī dàn yě pò ké le nà zhī gè tóur zuì dà de yòu niǎo wèi kǒu
过了几天，另外三只蛋也破壳了。那只个头儿最大的幼鸟，胃口
tè bié hǎo tā zǒng shì chī bu bǎo yàn zi mā ma nìng yuàn zì jǐ ái è yě yào bǎ shí wù gěi hái zi
特别好，他总是吃不饱。燕子妈妈宁愿自己挨饿，也要把食物给孩子
men chī tā bǎ suǒ yǒu de ài dōu gěi le tā men
们吃。她把所有的爱都给了他们。

jiù zhè yàng zài yàn zi de jīng xīn zhào liào xià hái zi men yì tiān tiān zhǎng dà le tā men kě
就这样，在燕子的精心照料下，孩子们一天天长大了。他们可
yǐ zì jǐ mì shí le ér zhè shí yàn zi mā ma yǐ jīng dòng bu liǎo le dàn hái zi men hěn xiào shùn
以自己觅食了。而这时，燕子妈妈已经动不了了。但孩子们很孝顺，
yóu qí shì xiǎo dù juān měi tiān zǒng shì bǎ shí wù gěi yàn zi mā ma sòng guo lai ér nà zhī dù juān mā
尤其是小杜鹃，每天总是把食物给燕子妈妈送过来。而那只杜鹃妈
ma ne què yīn wèi méi yǒu shí wù è sǐ le
妈呢，却因为没有食物饿死了。

趣味魔法师

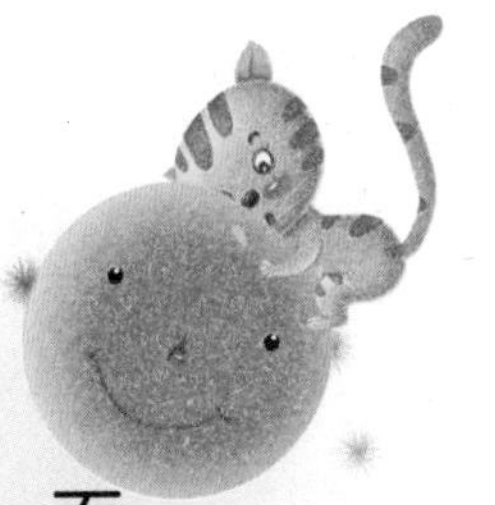

善良的燕子妈妈全心全意地抚养自己的孩子。而杜鹃妈妈自私懒惰，不负责任地把自己的孩子抛弃了。小朋友，我们可要做一个有责任感、有爱心的人！

猫和老鼠交朋友

yǒu yì zhī māo hé yì zhī lǎo shǔ zuò le péng you bìng
有一只猫和一只老鼠做了朋友，并
qiě tā men shēng huó zài yì qǐ
且他们生活在一起。

tiān yuè lái yuè lěng le tā men mǎi le yí
天越来越冷了，他们买了一
guàn zhū yóu fàng zài jiào táng li zhǔn bèi guò dōng bìng
罐猪油放在教堂里准备过冬，并
yuē dìng bú dào méi yǒu shí wù de shí hou jué
约定不到没有食物的时候，决
bú dòng tā
不动它。

kě shì méi guò jǐ tiān māo jiù xiǎng
可是，没过几天，猫就想
chī zhū yóu le tā duì lǎo shǔ shuō wǒ
吃猪油了。他对老鼠说：“我
de biǎo jiě gāng shēng le yì zhī xiǎo māo biǎo
的表姐刚生了一只小猫。表
jiě xiǎng qǐng wǒ dāng xiǎo jiā huo de jiào fù
姐想请我当小家伙的教父。”

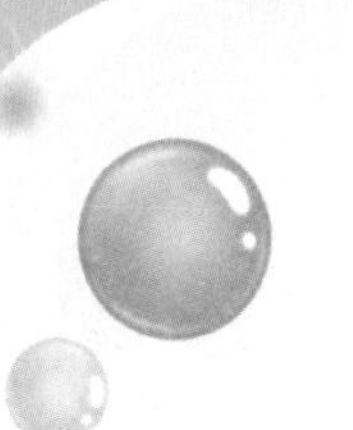

lǎo shǔ shuō nǐ fàng xīn de qù ba yú shì māo
老鼠说：“你放心地去吧。”于是，猫
jiù qù le jiào táng bǎ dǐng shang de yì céng zhū yóu chī de jīng
就去了教堂，把顶上的一层猪油吃得精
guāng méi guò duō jiǔ māo yòng xiāng tóng de jiè kǒu qù jiào táng chī diào
光。没过多久，猫用相同的借口去教堂吃掉
le bàn guàn zhū yóu hòu lái māo yòu xiǎng chī zhū yóu le yú shì tā
了半罐猪油。后来，猫又想吃猪油了。于是，他
bǎ shèng xià de zhū yóu chī de jīng guāng
把剩下的猪油吃得精光。

māo hòu lái méi yǒu zài bèi yāo qǐng qù dāng jiào fù dōng tiān lái
猫后来没有再被邀请去当教父。冬天来

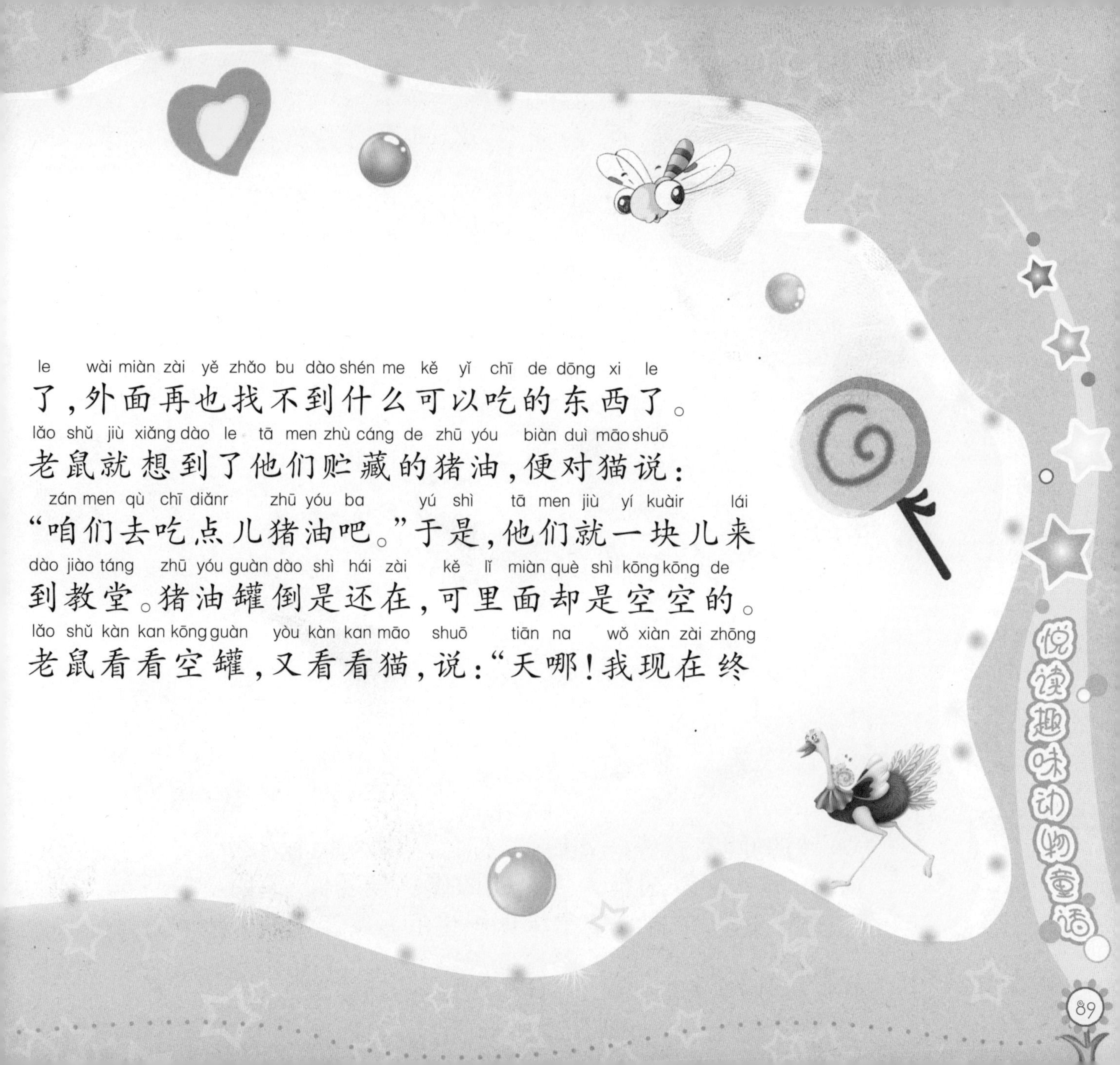

le wài miàn zài yě zhǎo bu dào shén me kě yǐ chī de dōng xi le
了，外面再也找不到什么可以吃的东西了。
lǎo shǔ jiù xiǎng dào le tā men zhù cáng de zhū yóu biàn duì māo shuō
老鼠就想到了他们贮藏的猪油，便对猫说：
zán men qù chī diǎnr zhū yóu ba yú shì tā men jiù yí kuàir lái
“咱们去吃点儿猪油吧。”于是，他们就一块儿来
dào jiào táng zhū yóu guàn dào shì hái zài kě lǐ miàn què shì kōng kōng de
到教堂。猪油罐倒是还在，可里面却是空空的。
lǎo shǔ kàn kan kōng guàn yòu kàn kan māo shuō tiān na wǒ xiàn zài zhōng
老鼠看看空罐，又看看猫，说：“天哪！我现在终

yú míng bai shì zěn me huí shì le nǐ dāng le sān cì jiào fù
于明白是怎么回事了！你当了三次教父，
jiù bǎ zhè guàn zhū yóu quán chī guāng le zhù kǒu māo
就把这罐猪油全吃光了！”“住口……”猫
hǒu dào zài shuō lián nǐ yě chī le lǎo shǔ yòu yào shuō
吼道，“再说连你也吃了。”老鼠又要说，
zhǐ jiàn māo sōu de yì shēng zhuā zhù lǎo shǔ chī
只见猫“嗖”的一声抓住老鼠，吃
jìn le dù zi
进了肚子。

好的朋友就像一本好书，你会从中汲取无穷的智慧；坏的朋友却是人生中的障碍。孩子们，请用你们的慧眼，来选择值得相伴一生的好朋友吧！

蘑菇伞

MO GU SAN

chūn tiān de shí hou tù mā ma shēng le yì zhī kě ài de tù bǎo bǎo tā zhǎng zhe xuě bái de
春天的时候，兔妈妈生了一只可爱的兔宝宝。她长着雪白的
máo cháng cháng de dà ěr duo hóng hóng de yǎn jing kě ài jí le dà jiā dōu jiào tā xiǎo tù bái bai
毛，长长的大耳朵，红红的眼睛，可爱极了。大家都叫她小兔白白。

yì tiān bái bai qù sēn lín li wán gāng zǒu
一天，白白去森林里玩，刚走
méi duō yuǎn tā fā xiàn yì kē sōng shù xià zhǎng
没多远，她发现一棵松树下长
zhe yí gè mó gu zhè ge mó gu hǎo dà hǎo
着一个蘑菇，这个蘑菇好大好
dà bái bai bǎ mó gu cǎi xia lai zhǔn
大。白白把蘑菇采下来，准
bèi huí jiā
备回家。

hōng lōng lōng dǎ qǐ
“轰隆隆……”打起
le léi bù yí huìr biàn huā huā
了雷，不一会儿，便哗哗
de xià qǐ dà yǔ lai le cōng míng
地下起大雨来了。聪明

de bái bai káng qǐ mó gu wǎng jiā zǒu
的白白扛起蘑菇往家走。

xiǎo bái tù jiě jie ràng wǒ zài nǐ de mó gu sǎn xià miàn duǒ duo yǔ xíng ma
“小白兔姐姐，让我在你的蘑菇伞下面躲躲雨，行吗？”

bái bai tái tóu yí kàn shì hú dié mèi mei lián máng shuō kuài
白白抬头一看，是蝴蝶妹妹，连忙说：“快

lái ba
来吧！”

bái bai hé hú dié jì xù
白白和蝴蝶继续

cháo qián zǒu yì zhī xiǎo mì fēng
朝前走，一只小蜜蜂

fēi lái le shuō xiǎo bái tù
飞来了，说：“小白兔

jiě jie ràng wǒ jìn lái duǒ duo
姐姐，让我进来躲躲

yǔ ba
雨吧！”

hǎo kuài lái ba bái
“好，快来吧！”白

bai gāo xìng de shuō
白高兴地说。

bái bai hú dié hé xiǎo mì
白白、蝴蝶和小蜜

fēng yòu jì xù cháo qián zǒu zǒu
蜂又继续朝前走。走

a zǒu a yì zhī xiǎo hóu zi
啊，走啊，一只小猴子

zǒu guo lai shuō xiǎo bái tù jiě jie ràng wǒ duǒ duo yǔ ba wǒ yǒu bìng lín bu de yǔ
走过来说："小白兔姐姐，让我躲躲雨吧，我有病，淋不得雨。"

bái bai zháo jí le duǒ yǔ de huǒ bàn tài duō le mó gu bú gòu dà zěn me bàn ne tū rán
白白着急了，躲雨的伙伴太多了，蘑菇不够大，怎么办呢？突然，
tā de yǎn zhūr yí zhuàn xiǎng chū bàn fǎ lai le tā bǎ mó gu sǎn jiāo gěi le xiǎo hóu zi gāo xìng
她的眼珠儿一转，想出办法来了，她把蘑菇伞交给了小猴子，高兴
de shuō xiǎo hóu zi dì di zhè mó gu sǎn gěi nǐ men dǎ wǒ dào nà kē dà shù xià qù duǒ yǔ nǐ
地说："小猴子弟弟，这蘑菇伞给你们打。我到那棵大树下去躲雨，你
men kuài huí jiā qu ba
们快回家去吧！"

xiè xie nǐ xiǎo bái tù jiě jie tā men gǎn jī de shuō
"谢谢你，小白兔姐姐。"他们感激地说。

dà yǔ yì zhí xià zhe bái bai yí gè rén duǒ zài dà shù xià yòu lěng yòu pà dàn bái bai zhēn
大雨一直下着，白白一个人躲在大树下，又冷又怕，但白白真
chéng de bāng zhù le bié ren suǒ yǐ tā de xīn li tián tián de
诚地帮助了别人，所以她的心里甜甜的。

小兔白白把蘑菇伞让给了需要帮助的小伙伴，她真是个乐于助人的好孩子。孩子们，其实帮助别人就是帮助我们自己，在别人有困难时，别忘了伸出援助之手啊！

恶作剧

E ZUO JU

xiǎo xióng kāng kang fēi cháng tiáo pí tā bǎ hēi mò shuǐ sǎ zài xiǎo lù
小熊康康非常调皮，他把黑墨水洒在小鹿
huān huan de bái qún zi shang huān huan dào lǎo shī nà lǐ gào le kāng kang yí
欢欢的白裙子上。欢欢到老师那里告了康康一
zhuàng kāng kang jué dìng hǎo hāor jiào xun huān huan yí dùn tā zhǎo
状。康康决定好好儿教训欢欢一顿，他找
le hěn duō máo mao chóng yòng yì zhī jīng měi de hé zi zhuāng qi
了很多毛毛虫，用一只精美的盒子装起
lai tuō xiǎo xiàng lè le zhuǎn jiāo gěi huān huan huān
来，托小象乐乐转交给欢欢。欢
huan dǎ kāi hé zi kàn jiàn xǔ duō máo mao chóng xià
欢打开盒子看见许多毛毛虫，吓
de kū le qǐ lái lè le shēng qì de bǎ hòu
得哭了起来。乐乐生气地把后
guǒ gào su le kāng kang
果告诉了康康。

yí dào jiā kāng kang jiù yǒu xiē hòu
一到家，康康就有些后
huǐ le zhè shí huān huan lái le tā shǒu
悔了。这时，欢欢来了。她手

li pěng zhe yí gè piào liang de hé zi yí jìn mén jiù shuō kāng
里捧着一个漂亮的盒子，一进门就说：“康
kang dǎ kāi tā ba fàng xīn ba bú shì máo mao chóng zhè shì wǒ
康，打开它吧，放心吧，不是毛毛虫。这是我
sòng gěi nǐ de táng guǒ wǒ men hái shi hǎo tóng xué
送给你的糖果。我们还是好同学。”
kāng kang de liǎn hóng de xiàng ge dà píng guǒ
康康的脸红得像个大苹果。

康康的恶作剧伤害了欢欢，但欢欢原谅了康康。欢欢的宽容和善良让康康意识到自己的错误，相信康康再也不会搞恶作剧了。

外面的世界

WAI MIAN DE SHI JIE

xiǎo tù zi yǐ jīng zhǎng dà le dàn tā de dǎn zi hái hěn
小兔子已经长大了，但他的胆子还很
xiǎo zǒng yě bù gǎn chū mén
小，总也不敢出门。

yì tiān xiǎo tù zi kàn jiàn xiǎo gǒu hé xiǎo māo
一天，小兔子看见小狗和小猫
zài wán pí qiú tā men wánr de kě gāo xìng le xiǎo
在玩皮球，他们玩儿得可高兴了。小
tù zi kàn le hěn xiàn mù hěn xiǎng gēn tā men yì qǐ
兔子看了很羡慕，很想跟他们一起
chū qù wánr dàn shì sēn lín li yǒu hěn duō yě
出去玩儿。但是，森林里有很多野
shòu tài wēi xiǎn le xiǎo tù zi shāng xīn jí le jiù
兽，太危险了。小兔子伤心极了，就
kū le qǐ lái tù mā ma tīng le gǎn jǐn guò lái wèn
哭了起来。兔妈妈听了，赶紧过来问
tā zěn me le xiǎo tù zi gào su le mā ma mā ma
他怎么了。小兔子告诉了妈妈。妈妈
shuō bǎo bǎo nǐ kàn xiǎo gǒu wāng wang yǐ jīng shì
说：“宝宝，你看，小狗汪汪已经是

yì tiáo dà gǒu le tā huì bǎo hù nǐ de xiǎo tù zi xiào
一条大狗了，他会保护你的。”小兔子笑
le tā pǎo chu qu zhǎo xiǎo gǒu hé xiǎo māo wánr qù le
了，他跑出去找小狗和小猫玩儿去了。

xiǎo tù zi hé xiǎo gǒu xiǎo māo yì qǐ qù sēn lín li
小兔子和小狗、小猫一起去森林里
wánr tā men yù dào le yì zhī xiǎo sōng shǔ tā zài shān
玩儿。他们遇到了一只小松鼠，她在山
shang fàng fēng zheng
上放风筝。

xiǎo gǒu gē ge fēng zheng wèi shén me
“小狗哥哥，风筝为什么
huì fēi qi lai ya xiǎo tù zi hào qí de
会飞起来呀？”小兔子好奇地
wèn yīn wèi yǒu fēng zài chuī ya xiǎo gǒu
问。“因为有风在吹呀。”小狗
wāng wang qīn qiè de jiě shì dào
汪汪亲切地解释道。

pā dā pā dā
“啪哒，啪哒……”
xià yǔ le xiǎo gǒu gē ge
下雨了。“小狗哥哥，
tiān kōng zài kū tā yí dìng hěn
天空在哭，他一定很
nán guò ba
难过吧！”

bú shì de shì bào fēng
“不是的，是暴风

yǔ yào lái le wǒ men qù sōng shǔ jiā duǒ duo ba tā men hěn kuài pǎo dào shān xià sōng shǔ de jiā li
雨要来了，我们去松鼠家躲躲吧！”他们很快跑到山下松鼠的家里。

hū rán yí dào shǎn diàn huá pò cháng kōng xiǎo tù zi
忽然，一道闪电划破长空。小兔子
xià de jīng jiào le qǐ lái jǐn jiē zhe hōng lōng hōng
吓得惊叫了起来。紧接着，“轰隆——轰
lōng chuán lái le léi shēng
隆——”传来了雷声。

āi yā zhè shì shén me shēng yīn hǎo kě pà ya
“哎呀，这是什么声音，好可怕呀！”
xiǎo tù zi hài pà de wǔ shàng le ěr duo
小兔子害怕地捂上了耳朵。

bié pà zhè shì jīn nián chūn tiān
“别怕，这是今年春天
de dì yī dào shǎn diàn hé dì yī shēng chūn
的第一道闪电和第一声春
léi a sōng shǔ mā ma gǎn jǐn shuō
雷啊。”松鼠妈妈赶紧说。

bào fēng yǔ zhōng yú guò qù le
暴风雨终于过去了。
tā men zǒu chū xiǎo mù wū hū xī zhe yǔ
他们走出小木屋，呼吸着雨
hòu qīng xīn de kōng qì kàn zhe cǎo yè jiān
后清新的空气，看着草叶间
jīng yíng de shuǐ zhūr xiǎo tù zi gāo xìng
晶莹的水珠儿，小兔子高兴
jí le
极了。

à tiān kōng kě zhēn piào liang a kàn nà biān shì shéi bǎ yì
“啊，天空可真漂亮啊！看那边，是谁把一
tiáo cǎi sè de dài zi guà dào tiān kōng shang le ne xiǎo tù zi kuài huo
条彩色的带子挂到天空上了呢？”小兔子快活
de shuō nà shì cǎi hóng ya xiǎo gǒu shuō
地说。“那是彩虹呀。”小狗说。

zhè yì tiān xiǎo tù zi hěn yǒu chéng jiù gǎn dì yī cì
这一天，小兔子很有成就感，第一次
wài chū jiù xué dào le hěn duō zhī shi cóng zhè tiān qǐ xiǎo tù
外出，就学到了很多知识。从这天起，小兔
zi tiān tiān tóng xiǎo gǒu yì qǐ chū qù wánr tā jiàn jiàn de rèn
子天天同小狗一起出去玩儿，她渐渐地认
shi le wài miàn de shì jiè
识了外面的世界。

小兔子第一天外出就感觉到：外边的世界真的很精彩。只要我们一直保持一颗求知的心，我们就会发现这个世界上有许多美好的东西。

小鹿宝宝

XIAO LU BAO BAO

lù bǎo bǎo jīn nián yí suì le tā yīng gāi zì jǐ qù zhǎo chī de le zài tā chū mén qián lù mā ma shuō wàn yī yù dào xiōng měng de yě shòu yí dìng yào kuài pǎo fǒu zé jiù huì bèi chī diào

鹿宝宝今年一岁了，他应该自己去找吃的了，在他出门前，鹿妈妈说：“万一遇到凶猛的野兽，一定要快跑，否则就会被吃掉。”

lù bǎo bǎo lí kāi le jiā yí lù pǎo dào le shān dǐng zhè shí bèi hòu chuán lái yí zhèn kě pà de xiào shēng

鹿宝宝离开了家，一路跑到了山顶。这时，背后传来一阵可怕的笑声。

lù bǎo bǎo xīn li yì jīng huí tóu yí kàn yì zhī lǎo hǔ zhèng níng xiào zhe xiàng zì jǐ zǒu guo lai lù bǎo bǎo xiǎng qǐ mā ma de huà kě shì lái lù yǐ jīng bèi lǎo hǔ dǔ zhù le zài wǎng qián jiù shì xuán yá méi bàn fǎ táo pǎo le zěn me bàn ne

鹿宝宝心里一惊，回头一看，一只老虎正狞笑着向自己走过来。鹿宝宝想起妈妈的话，可是，来路已经被老虎堵住了，再往前就是悬崖，没办法逃跑了，怎么办呢？

lù bǎo bǎo líng jī yí dòng xiào zhe shuō lǎo

鹿宝宝灵机一动，笑着说：“老

虎先生，您好啊！”

老虎说：“嘿嘿！我当然好，因为我马上就可以饱餐一顿了！”

“是的，老虎先生，我们鹿生下来就是给您做食物用的，我十分荣幸能够给您这么高贵的先生做美餐。”鹿宝宝假装恭敬地说。

“哈哈哈！小鹿宝宝，虽然你很会说话，可是，那你也得死！”老虎流着口水，眼看就要扑过来了。

“等等！”鹿宝宝大声说，“我必须告诉您一件事！”

shén me shì lǎo hǔ wèn
“什么事？”老虎问。

wǒ gāng gāng chī le hǎo duō méi jiàn guo de yě cǎo xiàn zài wǒ de dù zi kāi shǐ téng le wǒ xiǎng nà yí dìng shì yǒu dú de cǎo rú guǒ nín chī le wǒ yě yí dìng huì zhòng dú de lù bǎo bǎo wǔ zhe dù zi shuō
“我刚刚吃了好多没见过的野草，现在我的肚子开始疼了，我想，那一定是有毒的草，如果您吃了我，也一定会中毒的。”鹿宝宝捂着肚子说。

lǎo hǔ bàn xìn bàn yí zhè shí lù bǎo bǎo tū rán dǎo zài dì shang fān lái fù qù de dǎ gǔnr tā hái qiāo qiāo de bǎ shé jiān yǎo pò le yì diǎnr xiě shùn zhe zuǐ jiǎo liú le chū lái lǎo hǔ jiàn le yě shí fēn dān xīn tā hài pà chī le xiǎo lù lián zì jǐ yě děi sàng mìng biàn zhǐ hǎo sǎo xìng de zǒu le lǎo hǔ hái xiǎng duō huó shàng jǐ nián xiǎng shòu qí tā de měi wèi jiā yáo ne
老虎半信半疑。这时，鹿宝宝突然倒在地上翻来覆去地打滚儿，他还悄悄地把舌尖咬破了一点儿，血顺着嘴角流了出来。老虎见了，也十分担心，他害怕吃了小鹿连自己也得丧命，便只好扫兴地走了，老虎还想多活上几年享受其他的美味佳肴呢！

cōng míng de xiǎo lù píng jiè zì jǐ de zhì huì bǎo zhù le xìng mìng děng lǎo hǔ zǒu yuǎn le xiǎo lù fēi kuài de pǎo
聪明的小鹿凭借自己的智慧保住了性命。等老虎走远了，小鹿飞快地跑

huí le jiā lù bǎo bǎo xīng fèn de pū dào mā ma de huái li zì háo de

回了家。鹿宝宝兴奋地扑到妈妈的怀里，自豪地

duì mā ma shuō mā ma lǎo zǔ zong chuán xia lai de huà bìng bú shì měi

对妈妈说：“妈妈，老祖宗传下来的话并不是每

yí cì dōu guǎn yòng

一次都管用。”

小鹿虽然在遇到老虎时没有按妈妈的话去做，但是却用自己的智慧和勇气吓跑了老虎。孩子们，从小鹿的身上，我们能学到什么呢？

花儿的梦

HUA ER DE MENG

yè yǐ jīng shēn le qīng tíng fēi dào huā ér de shēn páng huā ér shuì de zhèng xiāng tā zài zuò
夜已经深了，蜻蜓飞到花儿的身旁，花儿睡得正香，她在做
mèng qīng tíng chōng mǎn hào qí de bǎ mèng xiān kāi yì tiáo fèng yuán lái huā ér zài mèng zhōng qǐng mì fēng jiě
梦。蜻蜓充满好奇地把梦掀开一条缝，原来花儿在梦中请蜜蜂姐
jie chī huā mì ne qīng tíng shēng qì le tā bǎ huā ér jiào xǐng shuō hng wǒ shì nǐ zuì hǎo de péng
姐吃花蜜呢。蜻蜓生气了，她把花儿叫醒说："哼，我是你最好的朋

you nǐ zài mèng zhōng qǐng mì fēng jiě jie
友，你在梦中请蜜蜂姐姐
chī huā mì què bù qǐng wǒ wǒ bù hé nǐ
吃花蜜却不请我，我不和你
hǎo le huā ér shuō zhēn duì bu qǐ
好了！”花儿说：“真对不起，
yí huìr zuò mèng wǒ yí dìng qǐng nǐ
一会儿做梦我一定请你。”

huā ér hài pà le tā bù gǎn shuì
花儿害怕了，她不敢睡
jiào le tā pà zì jǐ mèng bu dào qīng
觉了，她怕自己梦不到蜻
tíng qīng tíng què zài huā ér shēn biān shuì zháo
蜓。蜻蜓却在花儿身边睡着
le huā ér xiǎng wǒ yě qù kàn kan qīng tíng de
了。花儿想：我也去看看蜻蜓的
mèng ba jiù qiāo qiāo de xiān kāi le qīng tíng de mèng bù hǎo
梦吧！就悄悄地掀开了蜻蜓的梦。不好
le qīng tíng bèi zhī zhū wǎng chán zhù le zhèng zài dà hǎn jiù mìng ne
了，蜻蜓被蜘蛛网缠住了，正在大喊救命呢！
huā ér gǎn kuài bǎ tā jiào xǐng shuō bié hài pà nà bú guò shì yí gè mèng ér yǐ huā ér zài zhèr lǐ
花儿赶快把她叫醒说：“别害怕，那不过是一个梦而已，花儿在这里
ne bú yào hài pà
呢，不要害怕！”

qīng tíng xià de xīn dōng dōng zhí tiào shuō zhè zhēn shi yí gè kě pà de è mèng wǒ zài yě bú
蜻蜓吓得心咚咚直跳，说：“这真是一个可怕的噩梦，我再也不
yào mèng jiàn zhī zhū le huā ér ān wèi tā shuō shéi huì zhī dào zì jǐ huì mèng jiàn shén me ne zhǐ
要梦见蜘蛛了！”花儿安慰她说：“谁会知道自己会梦见什么呢？只

yào xǐng lái zhī dào shì ge mèng jiù hǎo le
要醒来知道是个梦就好了。”

qīng tíng hū rán bù shuō huà le yǎn lèi qiāo qiāo de liú le xià lái tā màn màn de duì huā ér shuō
蜻蜓忽然不说话了，眼泪悄悄地流了下来，她慢慢地对花儿说：
duì bu qǐ wǒ men yǒng yuǎn dōu shì hǎo péng you wǒ zài yě bù zé guài nǐ le
“对不起，我们永远都是好朋友，我再也不责怪你了。”

趣味魔法师

在梦里，蜻蜓误解了花儿，花儿却把蜻蜓从噩梦中解脱出来。朋友之间应该以宽容为本，孩子们，你们能做到吗？

下雨了

XIA YU LE

huānhuan shì yì zhī kě ài de xiǎo tù zi yì tiān tā yào qù sōng shǔ jiā kàn sōng
欢欢是一只可爱的小兔子。一天，他要去松鼠家看松
shǔ mā ma de xīn nǚ ér mā ma bú ràng tā qù shuō yào xià yǔ le huānhuan bú xìn
鼠妈妈的新女儿。妈妈不让他去，说要下雨了。欢欢不信，
tā chèn mā ma bú zhù yì shí liū zǒu le
他趁妈妈不注意时溜走了。

huānhuan zài sōng shǔ jiā wánr de tài
欢欢在松鼠家玩儿得太
gāo xìng le zhí dào tīng dào hōng lōng lōng de léi
高兴了。直到听到轰隆隆的雷
shēng tā cái zhī dào bào yǔ zhēn de yào lái
声，他才知道暴雨真的要来
le tū rán xiǎo tù zi xiǎng qǐ hé miàn de
了！突然，小兔子想起河面的
xiǎo fú qiáo bú shì hěn wěn gù rú guǒ yǔ chí
小浮桥不是很稳固，如果雨持
xù xià de huà huì chōng zǒu xiǎo fú qiáo de huānhuan
续下的话，会冲走小浮桥的。欢欢
dǐng qǐ yí piàn dà shù yè jiù wǎng hé biān pǎo tā gǎn dào hé biān yí
顶起一片大树叶就往河边跑。他赶到河边一

kàn à xiǎo fú qiáo gāng gāng bèi chōng diào
看，啊，小浮桥刚刚被冲掉。

zhè shí zhèng dǎ zhe yǔ sǎn xún zhǎo xiǎo tù zi de tù mā
这时，正打着雨伞寻找小兔子的兔妈
ma kàn dào le zhè yí qiè fēi kuài de pǎo huí jiā bān lái mù
妈看到了这一切，飞快地跑回家搬来木
bǎn tā yào zài dā yí zuò xīn qiáo
板。她要再搭一座新桥。

zhōng yú qiáo dā hǎo le xiǎo tù zi hé mā ma yì
终于，桥搭好了。小兔子和妈妈一
qǐ huí jiā le tù mā ma yīn wèi lín yǔ dé le zhòng gǎn mào huān
起回家了。兔妈妈因为淋雨得了重感冒。欢
huan yì zhí shǒu zài mā ma de shēn biān gěi mā ma dào shuǐ ná yào hái gěi mā ma zuò fàn tā duì mā
欢一直守在妈妈的身边，给妈妈倒水、拿药，还给妈妈做饭。他对妈
ma shuō mā ma wǒ zài yě bù táo qì le yí dìng tīng nín de huà
妈说：“妈妈，我再也不淘气了，一定听您的话。”

趣味魔法师

淘气的欢欢偷偷地溜了出去，害得妈妈因为找他而生病了。孩子们，我们可要做一个听话懂事的好孩子哦！

猫大夫

MAO DAI FU

zài chéng li zhù zhe yí wèi míng yī míng yī jiā li yǎng zhe yì zhī hěn
在城里住着一位名医，名医家里养着一只很
piào liang de xiǎo huā māo tā zhěng tiān wéi zhe zhǔ rén zhuàn lái zhuàn qù zhǔ rén
漂亮的小花猫。它整天围着主人转来转去，主人
gěi bìng rén kàn bìng shí tā yě gēn zhe xué jū rán yě xué huì le yì xiē yī
给病人看病时，它也跟着学，居然也学会了一些医
xué míng cí yú shì jiù jué de zì jǐ kě yǐ zuò yī shēng le
学名词，于是就觉得自己可以做医生了。

yì tiān xiǎo huā māo bǎ zhǔ rén mǎi lái qǐng
一天，小花猫把主人买来请
kè de yú tōu chī le zhǔ rén yì shēng qì jiù bǎ
客的鱼偷吃了，主人一生气就把

tā gǎn chū le jiā mén
它赶出了家门。

tā cóng cǐ jiù kāi shǐ le liú làng de shēng huó
它从此就开始了流浪的生活。

zài sēn lín li tā yù jiàn le māo tóu yīng māo tóu yīng wèn tā liú
在森林里，它遇见了猫头鹰。猫头鹰问它：“流

làng hàn nǐ cóng nǎ lǐ lái a
浪汉，你从哪里来啊？”

gǔn kāi nǐ zhè kě wù de jiā huo xiǎo huā māo yáo zhe wěi ba
“滚开，你这可恶的家伙！”小花猫摇着尾巴

shuō wǒ shì chéng li de yī shēng
说：“我是城里的医生……”

chéng li de yī shēng lái le chéng li de yī
“城里的医生来了，城里的医

shēng lái le dà jiā kuài chū lái a
生来了，大家快出来啊！”

māo tóu yīng méi děng xiǎo huā māo shuō wán jiù dà shēng de rāng rang kāi le
猫头鹰没等小花猫说完，就大声地嚷嚷开了。

zhè xià dòng wù men dōu chū lái le xiǎo hóu zi yòng wěi ba dào guà zài shù shang cháo xià qiáo dà wū
这下动物们都出来了。小猴子用尾巴倒挂在树上朝下瞧，大乌
guī shēn cháng le bó zi kàn shì shéi dì yī ge lái guà hào
龟伸长了脖子，看是谁第一个来挂号。

māo tóu yīng zài shù shang jiào pái duì pái duì kàn bìng de dōu yào pái duì
猫头鹰在树上叫："排队排队，看病的都要排队！"

dì yī ge bìng rén shì xiǎo bái tù qǐng wèn wǒ de yǎn jing zěn me zǒng shì hóng de ne
第一个病人是小白兔，"请问，我的眼睛怎么总是红的呢？"

xiǎo huā māo xué zhe zhǔ rén de yàng zi fān kāi tù zi de yǎn pí kàn le kàn shuō
小花猫学着主人的样子，翻开兔子的眼皮看了看，说：
zhè shì jié mó yán nǐ yí dìng zǒng shì yòng shǒu mō yǎn jing ba
"这是结膜炎，你一定总是用手摸眼睛吧！"

xiǎo bái tù hěn shēng qì de shuō wǒ cái méi yǒu ne
小白兔很生气地说："我才没有呢！"

nà jiù shì shā zi chuī jìn le yǎn jing li xiǎo huā māo bù tíng de zhuā hú
"那就是沙子吹进了眼睛里！"小花猫不停地抓胡
zi dà huǒr tīng le dōu xiào le
子，大伙儿听了都笑了。

dì èr ge lái kàn bìng de shì luò tuo tā
第二个来看病的是骆驼，他
shuō yào zhì tuó bèi dòu de dà jiā gèng lè le
说要治驼背，逗得大家更乐了。

xiǎo huā māo zhǐ zhe tā de tuó bèi shuō shéi ràng
小花猫指着它的驼背说："谁让
nǐ shàng xué de shí hou lǎo shì
你上学的时候老是

wān zhe yāo a
弯着腰啊？”

guà zài shù shang de xiǎo hóu zi shuō luò tuo gēn běn méi yǒu shàng guo xué dà jiā yòu shì yí
挂在树上的小猴子说：“骆驼根本没有上过学！”大家又是一
zhèn xiào
阵笑。

xiǎo huā māo jué de liǎn zhí fā tàng kě bù néng zài hú shuō le
小花猫觉得脸直发烫，可不能再胡说了。

tiáo pí de xiǎo hóu zi wèn wèi shén me wǒ zǒng shì zhǎng bu pàng ne dà jiā dōu jiào wǒ shòu hóu
调皮的小猴子问：“为什么我总是长不胖呢？大家都叫我瘦猴。”
xiǎo huā māo shuō bu chū lái māo tóu yīng qiǎng zhe shuō nà shì yīn wèi nǐ zuǐ chán ài chī líng shí
小花猫说不出来，猫头鹰抢着说：“那是因为你嘴馋，爱吃零食！”

xiǎo huā māo zhè cái fā xiàn zì jǐ píng shí tài lǎn méi yǒu rèn zhēn de xué xí zhī shi cái nào chū
小花猫这才发现自己平时太懒，没有认真地学习知识，才闹出
le jīn tiān de xiào hua tā jué dìng yǐ hòu yí dìng yào hǎo hāor xué xí
了今天的笑话，它决定以后一定要好好儿学习。

小花猫大夫由于没有认真学习知识，结果闹出了笑话。孩子们，对待学习一定要有钻研精神，不懂时一定要向师长请教。

百灵鸟唱歌

BAI LING NIAO CHANG GE

bǎi líng niǎo chàng qǐ gē lai kě hǎo tīng le kě shì tā chàng gē shí hěn hài xiū zǒng shì dī zhe tóu

百灵鸟唱起歌来可好听了，可是她唱歌时很害羞，总是低着头。

shù lín li de dòng wù men yào kāi lián huān huì le xiǎo hóu qù qǐng bǎi líng niǎo lái cān jiā

树林里的动物们要开联欢会了。小猴去请百灵鸟来参加。

bǎi líng niǎo shuō nà duō nán wéi qíng a wǒ pà wǒ bú qù jīng guò mā ma de gǔ lì tā jiù gēn xiǎo hóu qù le

百灵鸟说：“那多难为情啊！我怕，我不去。”经过妈妈的鼓励，她就跟小猴去了。

lián huān huì de zuì hòu yí gè jié mù jiù shì bǎi líng niǎo chàng gē bǎi líng niǎo tiào dào tái shang jué de hěn nán wéi qíng cái chàng le jǐ jù jiù zài yě chàng bu xià qù le

联欢会的最后一个节目，就是百灵鸟唱歌。百灵鸟跳到台上，觉得很难为情，才唱了几句，就再也唱不下去了。

zài huí jiā de lù shang tā pèng jiàn le wán pí de xiǎo bā ge xiǎo bā
在回家的路上，她碰见了顽皮的小八哥，小八
ge shuō bǎi líng niǎo dǎn zi xiǎo chàng gē chàng yí bàn bǎi líng niǎo xiū
哥说："百灵鸟，胆子小，唱歌唱一半。"百灵鸟羞
de chà diǎnr kū chu lai
得差点儿哭出来。

mā ma shuō bú yào jǐn wǎng hòu nǐ duō chàng gěi dà jiā
妈妈说："不要紧，往后你多唱给大家
tīng dǎn zi jiù huì mànmàn dà qi lai de
听，胆子就会慢慢大起来的。"

yú shì bǎi líng niǎo tiān tiān liàn xí chàng gē xià tiān dào
于是，百灵鸟天天练习唱歌。夏天到
le shù lín li yòu yào jǔ xíng yí cì lián huān huì bǎi líng niǎo yě qù cān jiā le
了，树林里又要举行一次联欢会，百灵鸟也去参加了。

lián huān huì kāi shǐ le bǎi líng niǎo dì yī ge shàng tái biǎo yǎn zhè cì tā xīn li yì diǎnr yě
联欢会开始了，百灵鸟第一个上台表演。这次，她心里一点儿也
bù huāng tā de gē chàng de fēi cháng hǎo tīng dà jiā dōu pāi qǐ shǒu lai kuā bǎi líng niǎo chàng de hǎo
不慌，她的歌唱得非常好听。大家都拍起手来，夸百灵鸟唱得好。

百灵鸟克服了胆怯，终于敢在大家面前一展歌喉了。孩子们，如果我们有才能，就要充满自信，这样机会才不会和我们擦肩而过。

摔跤比赛

SHUAI JIAO BI SAI

dà hēi xióng hé dà shī zi zài shān pō
大黑熊和大狮子在山坡
shang bǐ sài shuāi jiāo tā men de bǐ sài hěn jī
上比赛摔跤。他们的比赛很激
liè yí huìr zài dì shang dǎ gǔn yí huìr
烈，一会儿在地上打滚，一会儿
yòu zhàn qi lai bào zài yì qǐ tā men cóng zǎo
又站起来抱在一起。他们从早
shang shuāi dào zhōng wǔ shī zi méi yǒu lì qi
上摔到中午，狮子没有力气
le chà diǎnr jiù shū le tā lián máng shuō
了，差点儿就输了。他连忙说：
zán men xiū xi yí xià ba dà hēi xióng tóng
“咱们休息一下吧！”大黑熊同
yì le
意了。

shī zi zài shān xià de xiǎo
狮子在山下的小
hé biān hē le diǎnr shuǐ
河边喝了点儿水，

biàn tǎng zài le cǎo dì shang xiū xi
便躺在了草地上休息。

dà hēi xióng wèi le xiǎn shì zì jǐ de lì qi dà, jiù shuō: "shī zi, nǐ xiū xi yì tiān yě yíng bu liǎo wǒ, wǒ de lì qi kě dà le, nǐ kàn——" tā yì biān chuī xū, yì biān bá qǐ le yì kē xiǎo shù. tā zài shān pō shang zǒu lái zǒu qù, bǎ shān pō shang de xiǎo shù dōu bá guāng le.
大黑熊为了显示自己的力气大，就说：“狮子，你休息一天也赢不了我，我的力气可大了，你看——”他一边吹嘘，一边拔起了一棵小树。他在山坡上走来走去，把山坡上的小树都拔光了。

hēi xióng yòu shuō: "zhè suàn bu liǎo shén me, wǒ hái kě yǐ bǎ dà shí tou bān qi lai, rēng de yuǎn yuǎn de." shuō zhe tā jiù zhēn de zài shān pō shang zhǎo qǐ le dà shí tou, jiàn yí kuàir jiù rēng
黑熊又说：“这算不了什么，我还可以把大石头搬起来，扔得远远的。”说着他就真的在山坡上找起了大石头，见一块儿就扔

一块儿。不一会儿就把山坡上的大石头全扔光了。

这时狮子休息好了，对黑熊说："咱们再来比吧！"他们就又摔在了一起。可是黑熊又是拔树又是扔石头的，把力气都用光了，才摔了一会儿就气喘吁吁了。他心里后悔没有好好儿休息，可是已经来不及了，狮子一个猛劲儿就把大黑熊摔倒了。

真正的本领是在实际中检验出来的，一味地夸耀和显示只会有一个结果，那就是失败，所以我们可不要像故事中的大黑熊那样骄傲，要知道谦虚才是一种美德。

说谎的小猴子

SHUO HUANG DE XIAO HOU ZI

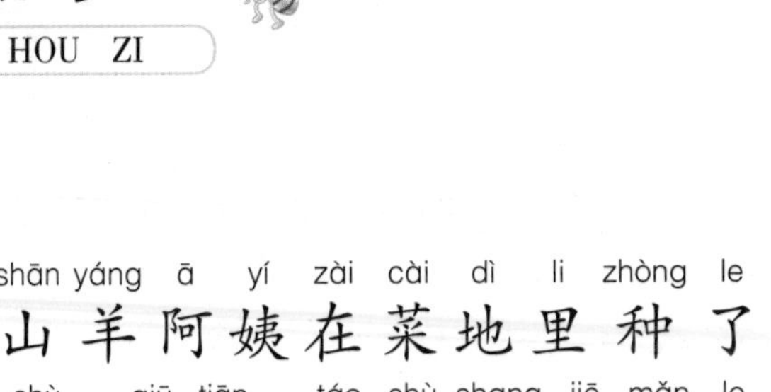

shān yáng ā yí zài cài dì li zhòng le yì
山羊阿姨在菜地里种了一
kē táo shù qiū tiān táo shù shang jiē mǎn le táo
棵桃树。秋天，桃树上结满了桃
zi xiǎo hóu zi kàn jiàn mǎn shù de táo zi chán de
子，小猴子看见满树的桃子馋得
zhí liú kǒu shuǐ shān yáng ā yí jiù
直流口水。山羊阿姨就
duì xiǎo hóu zi shuō xiǎo hóu
对小猴子说：“小猴
zi nǐ zì jǐ shàng shù zhāi jǐ
子你自己上树摘几
ge táo zi cháng chang ba
个桃子尝尝吧！”
xiǎo hóu zi yì zhí chī
小猴子一直吃
dào dù zi chēng de xiàng ge
到肚子撑得像个
xiǎo gǔ cái bù dé bù cóng
小鼓，才不得不从

shù shang xià lái
树上下来。

dì èr tiān zǎo chen xǐng lái xiǎo hóu zi huí wèi zhe táo zi xiān měi de zī wèi tā zì yán zì yǔ
第二天早晨醒来，小猴子回味着桃子鲜美的滋味，他自言自语
de shuō néng zài chī shàng yí dùn táo zi jiù hǎo le xiǎo hóu zi shì ge cōng míng de hái zi tā zhǎ
地说：“能再吃上一顿桃子就好了。”小猴子是个聪明的孩子，他眨
ba zhǎ ba yǎn jing biàn xiǎng chū le yí gè bàn fǎ kě shì
巴眨巴眼睛，便想出了一个办法。“可是，
zhè bú shì sā huǎng ma jiù zhè yí cì xiǎo hóu zi yí lù niàn
这不是撒谎吗？就这一次！”小猴子一路念
zhe jiù zhè yí cì xiàng shān yáng jiā pǎo qù shān
着“就这一次”，向山羊家跑去。“山

yáng ā yí bái tù nǎi nai tīng shuō nǐ jiā de táo
羊阿姨，白兔奶奶听说你家的桃
zi jiē de yòu dà yòu duō tā xiǎng yào jǐ ge táo
子结得又大又多，她想要几个桃
zi liú xià táo hér míng nián chūn tiān
子，留下桃核儿，明年春天
hǎo zhòng shàng
好种上。”

shān yáng ā yí máng ná chū yì zhī lán
山羊阿姨忙拿出一只篮
zi shuō nǐ gěi tā zhāi yì lán shāo qù
子，说：“你给她摘一篮捎去
ba xiǎo hóu zi zhāi le mǎn mǎn yì lán yí
吧！”小猴子摘了满满一篮，一
lù chī zhe zǒu le
路吃着走了。

děng tā měi měi de
等他美美地
shuì le yí yè hòu zǎo
睡了一夜后，早
yǐ bǎ jiù zhè yí cì de nuò yán wàng de yì gān èr jìng le dì èr tiān tā yòu lái dào le shān yáng
已把“就这一次”的诺言忘得一干二净了。第二天，他又来到了山羊
jiā shān yáng ā yí lǎo mǎ yé ye bìng le tā xiǎng chī jǐ ge táo zi
家。“山羊阿姨，老马爷爷病了，他想吃几个桃子。”

nǐ zhāi yì lán gěi tā sòng qù ba xiǎo hóu zi yòu zhāi le mǎn mǎn yì lán táo zi
“你摘一篮给他送去吧！”小猴子又摘了满满一篮桃子。

xiǎo hóu zi zǒng shì yǒu bàn fǎ de yì lián jǐ tiān tā dōu piàn dào le táo zi
小猴子总是有办法的。一连几天，他都骗到了桃子。

dàn huǎng huà zhōng jiū huì bèi jiē chuān de méi guò jǐ tiān shān yáng ā yí zài cóng tā jiā dào xiǎo
但谎话终究会被揭穿的。没过几天，山羊阿姨在从她家到小
hóu jiā de lù shang fā xiàn le hǎo duō táo hér tā yáo yao tóu shén
猴家的路上发现了好多桃核儿，她摇摇头，什
me dōu míng bai le
么都明白了。

zhè yì tiān xiǎo hóu zi yòu biān le yí gè huǎng huà piàn táo zi
这一天，小猴子又编了一个谎话，骗桃子
lái le
来了。

xiǎo hóu zi wǒ zhī dào nǐ huì lái de shān yáng ā yí shuō
“小猴子，我知道你会来的。”山羊阿姨说，

wǒ zhèng zhǔn bèi gěi nǐ sòng yí dài dōng xi qù xiǎo hóu zi jiàn
“我正准备给你送一袋东西去。”小猴子见
tā shēn biān fàng zhe yí gè gǔ gu nāng nāng de dà má dài yǐ wéi
她身边放着一个鼓鼓囊囊的大麻袋，以为
shì táo zi xīn li yí zhèn huān xǐ tā jiě kāi yí
是桃子，心里一阵欢喜。他解开一
kàn fā xiàn lǐ miàn quán shì táo hér xiǎo hóu zi xiū
看，发现里面全是桃核儿。小猴子羞
kuì de dī xià le tóu
愧地低下了头。

小猴子用说谎的方式从山羊阿姨那里骗桃子，被山羊阿姨发现后，小猴子多难堪啊！可见，撒谎是件多么可耻的事情啊！

猴子和狐狸

HOU ZI HE HU LI

hóu zi cōng cong shén me dōu hǎo jiù shì bù néng
猴子聪聪什么都好，就是不能
tīng bié ren kuā tā
听别人夸他。

yì tiān cōng cong hé hú li jiā jia
一天，聪聪和狐狸佳佳
yì qǐ chū qù wánr tā
一起出去玩儿。他
men fā xiàn yì jiān wū zi
们发现一间屋子
de huǒ lú li wēi zhe xǔ
的火炉里煨着许
duō lì zi tā men
多栗子。他们
dōu xiǎng chī dàn
都想吃，但
shì dōu hài pà bèi
是都害怕被
huǒ shāo dào shǒu
火烧到手。

jiā jia xīn li yǒu le zhǔ yi tā qīng le qīng sǎng
佳佳心里有了主意，他清了清嗓
zi duì hóu zi cōng cong shuō xiōng di wǒ yì zhí dōu hěn
子，对猴子聪聪说：“兄弟，我一直都很
pèi fú nǐ mǐn jié de shēn shǒu cōng cong shòu dào gōng wéi jué de fēi
佩服你敏捷的身手！”聪聪受到恭维，觉得非
cháng kāi xīn
常开心。

jiā jia zhuàn le zhuàn yǎn zhū jì xù shuō jīn tiān kě shì nǐ
佳佳转了转眼珠，继续说：“今天可是你
xiǎn shì běn lǐng de shí hou nǐ néng bu néng yòng shǒu cóng huǒ lú li bǎ lì
显示本领的时候，你能不能用手从火炉里把栗

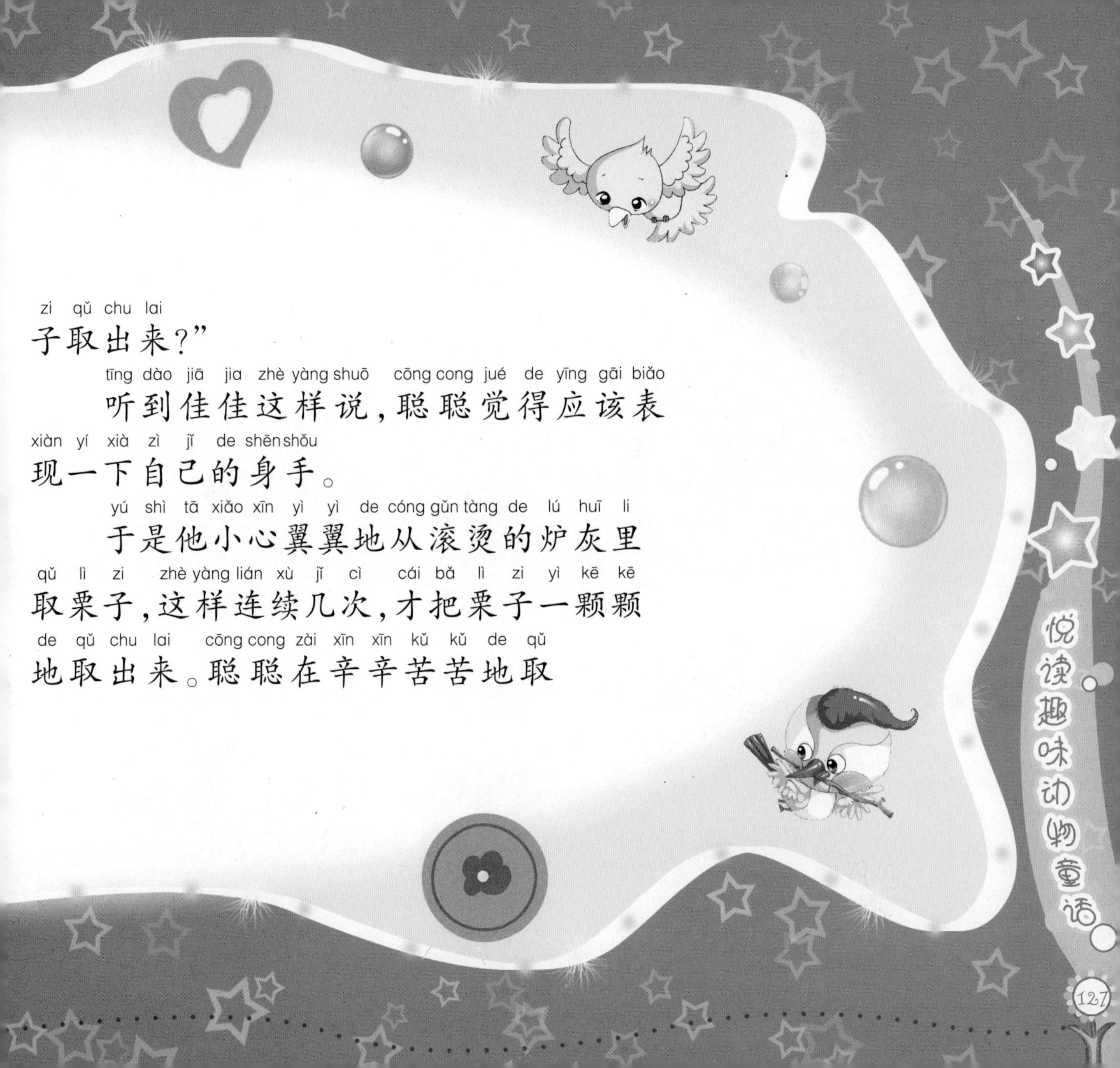

zi qǔ chu lai
子取出来？”

tīng dào jiā jia zhè yàng shuō cōng cong jué de yīng gāi biǎo
听到佳佳这样说，聪聪觉得应该表
xiàn yí xià zì jǐ de shēn shǒu
现一下自己的身手。

yú shì tā xiǎo xīn yì yì de cóng gǔn tàng de lú huī li
于是他小心翼翼地从滚烫的炉灰里
qǔ lì zi zhè yàng lián xù jǐ cì cái bǎ lì zi yì kē kē
取栗子，这样连续几次，才把栗子一颗颗
de qǔ chu lai cōng cong zài xīn xīn kǔ kǔ de qǔ
地取出来。聪聪在辛辛苦苦地取

lì zi kě jiā jia què zài yì biān tōu chī tā men bèi nǚ zhǔ rén fā
栗子，可佳佳却在一边偷吃。他们被女主人发
xiàn le jí máng táo pǎo le jié guǒ cōng cong lián yí gè lì zi dōu
现了，急忙逃跑了。结果聪聪连一个栗子都
méi chī dào
没吃到。

猴子因为狐狸的一句赞美就冒着生命的危险火中取栗，到头来，却苦了自己。所以，小朋友们，做人做事一定要谦虚谨慎，不要听人家赞美几句就做出一些超出自己能力范围的蠢事啊！

小猪闹肚子

XIAO ZHU NAO DU ZI

xiǎo zhū bái bai yì zhōu suì le bà ba mā ma wèi tā jǔ bàn le shèng dà
小猪白白一周岁了，爸爸妈妈为他举办了盛大
de shēng rì yàn huì bái bai yāo qǐng le tā suǒ yǒu de péng you cāng ying fēi
的生日宴会。白白邀请了他所有的朋友。苍蝇飞
lái wèn bái bai wǒ yě lái cān jiā nǐ de shēng rì yàn huì hǎo
来问白白：“我也来参加你的生日宴会好
ma bái bai yǒu xiē yóu yù le yīn wèi cāng ying shēn shang yǒu hěn
吗？”白白有些犹豫了。因为苍蝇身上有很
duō bìng jūn hé tā yì qǐ wánr huì bèi gǎn rǎn shàng bìng
多病菌，和他一起玩儿，会被感染上病
jūn de
菌的。

jiàn xiǎo zhū bái bai yóu yù de yàng zi cāng ying
见小猪白白犹豫的样子，苍蝇
mǎ shàng shuō wǒ zhǐ shì lái zhù hè bú dào chù luàn
马上说：“我只是来祝贺，不到处乱
pǎo yě bù chī bié ren de shí wù tīng tā zhè me
跑，也不吃别人的食物。”听他这么
shuō bái bai zhǐ hǎo dā ying le cāng ying de qǐng qiú
说，白白只好答应了苍蝇的请求。

cāng ying zhuāng mú zuò yàng de zuò zài tā de wèi zhì
苍蝇装模作样地坐在他的位置
shang ān ān jìng jìng de chī dà jiā dōu jīng tàn tā dǒng lǐ
上，安安静静地吃。大家都惊叹他懂礼
mào le kě dà jiā yí bú zhù yì tā jiù dào chù luàn fēi
貌了，可大家一不注意，他就到处乱飞。

dà jiā cān jiā wán jù huì wǎn shang huí dào
大家参加完聚会，晚上回到
jiā li kě shì méi guò duō jiǔ tā men de dù
家里，可是没过多久，他们的肚
zi dōu téng qi lai le xiǎo hóu zi lā dù zi lā
子都疼起来了。小猴子拉肚子拉
le yí yè lián pì gu dōu hóng le xiǎo tù zi
了一夜，连屁股都红了；小兔子
ne yí gè jìnr de kū kū de yǎn jing hóng
呢，一个劲儿地哭，哭得眼睛红
hóng de xiǎo zhū yě bù tíng de jiào
红的；小猪也不停地叫
huan zhe nán shòu jí le
唤着，难受极了。

dì èr tiān xiǎo dòng
第二天，小动
wù men dōu bù yuē ér tóng de
物们都不约而同地
lái dào le yī yuàn shān yáng
来到了医院。山羊
yī shēng wèi tā men zuò le
医生为他们做了

jiǎn chá bìng gào su tā men zhè shì diǎn xíng de cháng dào gǎn rǎn jí bìng nǐ men shì bu shì chī le bù
检查并告诉他们:“这是典型的肠道感染疾病,你们是不是吃了不
gān jìng de shí wù dà jiā dōu wàng zhe xiǎo zhū xiǎo zhū wěi qu de shuō wǒ bǎ shí wù dōu xǐ de
干净的食物?”大家都望着小猪,小猪委屈地说:“我把食物都洗得
hěn gān jìng a
很干净啊!”

nà me yí dìng shì cāng ying gàn de shān yáng yī shēng shuō kě shì tā yì zhí zuò zhe méi
“那么,一定是苍蝇干的!”山羊医生说。“可是他一直坐着没
dòng a xiǎo hóu zi shuō dào nǐ néng bǎo zhèng tā yì diǎnr dōu méi
动啊。”小猴子说道。“你能保证他一点儿都没
dòng ma dà jiā dōu bù chū shēng le yīn wèi tā men zhǐ gù zhe wánr
动吗?”大家都不出声了,因为他们只顾着玩儿,
bìng méi yǒu zhù yì dào cāng ying dòng mei dòng
并没有注意到苍蝇动没动。

xiǎo dòng wù men shēng bìng de xiāo xi chuán kāi le xì
小动物们生病的消息传开了,细
jūn men yě zhī dào le tā men jué xīn jiāng gōng
菌们也知道了。他们决心将功
bǔ guò tā men kāi shǐ bāng xiǎo dòng wù men dǎ
补过,他们开始帮小动物们打
sǎo wèi shēng bǎ biàn zhì de shí wù dōu xiāo miè
扫卫生,把变质的食物都消灭
diào le
掉了。

xiǎo dòng wù men chū yuàn le tā men kàn
小动物们出院了,他们看
jiàn dào chù dōu hěn gān jìng jiào de hěn qí guài
见到处都很干净,觉得很奇怪。

xì jūn men kàn jiàn tā men chī jīng de yàng zi gāo xìng de shuō shì wǒ men bǎ
细菌们看见他们吃惊的样子，高兴地说：“是我们把
lǜ máo xì jūn quán bù xiāo miè le xiàn zài nǐ kě yǐ fàng xīn chī dōng xi
绿毛细菌全部消灭了，现在，你可以放心吃东西
le dà jiā dōu xiào le yuán lái xì jūn zhōng yě yǒu hǎo rén a
了。”大家都笑了，原来细菌中也有好人啊！

小猪白白和小伙伴们吃了不干净的食物，结果都生病了。孩子们，病从口入这个道理我们一定要记牢，要从小养成讲究卫生的好习惯。

小鸟的朋友

XIAO NIAO DE PENG YOU

xiǎo niǎo zhǎng dà le huì fēi le biàn dú zì qù shēng huó le tā zài yì kē lǎo yú shù shang dā le yí gè piào liang de wō zhù le xià lái lǎo yú shù xià kāi zhe měi lì de fèng xiān huā zhǎng zhe nèn lǜ de xiǎo cǎo tā men dōu fēi cháng huān yíng xiǎo niǎo zuò tā men de lín jū měi tiān xiǎo niǎo dōu bāng tā men zhuō shēn shang de chóng zi

小鸟长大了，会飞了，便独自去生活了。他在一棵老榆树上搭了一个漂亮的窝，住了下来。老榆树下开着美丽的凤仙花，长着嫩绿的小草，她们都非常欢迎小鸟做她们的邻居。每天小鸟都帮她们捉身上的虫子。

yì tiān xiǎo niǎo bìng le hún shēn méi yǒu lì qi zhǐ hǎo tǎng zài niǎo wō li

一天，小鸟病了，浑身没有力气，只好躺在鸟窝里。

xiǎo niǎo xiǎo niǎo fèng xiān huā hǎn dào zěn me bú xià
“小鸟！小鸟！”凤仙花喊道，“怎么不下
lái gēn wǒ men wánr ne fēng pó po gāng jiāo le wǒ yì zhǒng hǎo
来跟我们玩儿呢？风婆婆刚教了我一种好
kàn de wǔ nǐ kuài diǎnr fēi xia lai wǒ tiào gěi nǐ kàn a
看的舞，你快点儿飞下来，我跳给你看啊！”

xiǎo niǎo tàn chū tóu lai shuō wǒ bìng le nǐ néng shàng lái
小鸟探出头来，说：“我病了，你能上来
péi wǒ wánr ma
陪我玩儿吗？”

fèng xiān huā shuō xiǎo niǎo dì di wǒ hěn xiǎng shàng qù péi
凤仙花说：“小鸟弟弟，我很想上去陪
nǐ wánr kě wǒ shàng bu qù a
你玩儿，可我上不去啊！”

méi guān xì děng wǒ hǎo le zán men zài wánr xiǎo niǎo
“没关系！等我好了咱们再玩儿。”小鸟
jiē zhe duì xiǎo cǎo shuō xiǎo cǎo mèi mei nǐ néng shàng lái ma
接着对小草说：“小草妹妹，你能上来吗？”

xiǎo niǎo gē ge wǒ yě shàng bu qù a xiǎo cǎo dī zhe
“小鸟哥哥，我也上不去啊！”小草低着
tóu shuō
头说。

bù néng shàng qù kàn xiǎo niǎo fèng xiān huā hé xiǎo cǎo xīn li nán
不能上去看小鸟，凤仙花和小草心里难
guò jí le tā men zhèng zài wèi zhè jiàn shì fā chóu ne qiān niú huā
过极了。她们正在为这件事发愁呢，牵牛花
duì tā men shuō nǐ men bié zháo jí wǒ kě yǐ tì nǐ men kàn wàng
对她们说：“你们别着急，我可以替你们看望

xiǎo niǎo
小鸟。”

qiān niú huā bǎ zì jǐ de téng chán zài lǎo yú shù shang shǐ
牵牛花把自己的藤缠在老榆树上，使
jìnr zhǎng ya zhǎng ya dì sān tiān tiān hái méi liàng tā biàn
劲儿长呀，长呀。第三天，天还没亮，她便
pá dào le niǎo wō páng tā wǎng lǐ yì qiáo xiǎo niǎo shuì de zhèng
爬到了鸟窝旁。她往里一瞧，小鸟睡得正
tián ne děng dào tài yáng shēng qǐ xiǎo niǎo kàn jiàn qiān niú huā zhèng
甜呢。等到太阳升起，小鸟看见牵牛花正
duì zhe tā chuī zhe xiǎo lǎ ba zài xiào ne xiǎo niǎo kāi xīn jí le
对着他吹着小喇叭在笑呢。小鸟开心极了，
zhōng yú yǒu péng you shàng lái kàn tā le tā de bìng yě yí xià zi
终于有朋友上来看他了，他的病也一下子
hǎo le xǔ duō
好了许多。

趣味魔法师

牵牛花替凤仙花她们看望了生病的小鸟，小鸟感觉好了许多。孩子们，如果你的朋友生病了，一定要记得看望他们啊！

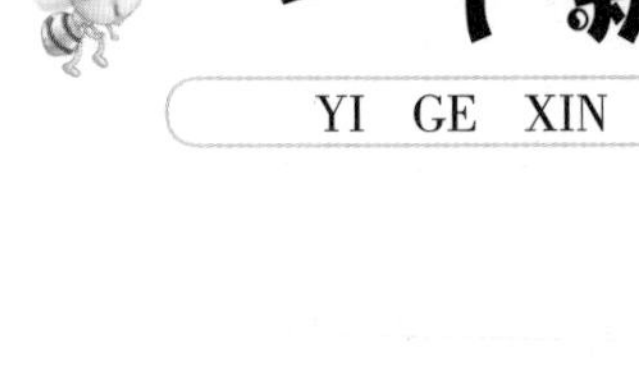

一个新朋友

YI GE XIN PENG YOU

xiǎo gǒu wāng wang xiǎo hóu tiào tiao hé xiǎo lù bēn ben shì fēi cháng
小狗汪汪、小猴跳跳和小鹿奔奔是非常
yào hǎo de péng you tā men jīng cháng zài yì qǐ wánr
要好的朋友，他们经常在一起玩儿。

zhè tiān sān ge huǒ bàn zhèng zài shù lín li
这天，三个伙伴正在树林里
dàng qiū qiān yí gè shēn shang zhǎng mǎn cì de xiǎo
荡秋千。一个身上长满刺的小
dòng wù zǒu guo lai tā kàn shang qu jiù xiàng zài dì
动物走过来，他看上去就像在地
shang gǔn dòng de jù dà máo guǒ zǒu qǐ
上滚动的巨大毛果，走起
lù lai sù sù zuò xiǎng
路来簌簌作响。

nǐ men hǎo wǒ néng gēn nǐ men
“你们好，我能跟你们
yì qǐ wánr ma shēn shang chā mǎn
一起玩儿吗？”身上插满
jiàn de dòng wù shuō wāng wang yáo yao tóu
箭的动物说。汪汪摇摇头

shuō nǐ quánshēn dōu shì cìr zhēn shi kě pà
说："你全身都是刺儿，真是可怕。"

xiǎo hóu zi tiào tiao zǒu guo qu zhuā zhua sāi bāng zi shuō wǒ men zěn
小猴子跳跳走过去，抓抓腮帮子说："我们怎
me bú rèn shi nǐ ya
么不认识你呀？"

wǒ shì jiàn zhū suī rán hún shēn dài
"我是箭猪，虽然浑身带
cìr dàn wǒ méi huài xīn yǎnr wǒ néng
刺儿，但我没坏心眼儿。我能
hé nǐ men jiāo péng you ma
和你们交朋友吗？"

wǒ men yòu duō le yí gè xīn péng
"我们又多了一个新朋
you xiǎo hóu zi kàn jiàn zhū shuō de hěn chéng
友。"小猴子看箭猪说得很诚
kěn biàn huí tóu duì dà huǒr shuō shì
恳，便回头对大伙儿说。"是
a shì a dà jiā yì qǐ pāi qǐ shǒu lai
啊！是啊！"大家一起拍起手来。

sì ge xiǎo huǒ bàn wánr de gāo xìng jí le hū rán tiào tiao fā xiàn dōng bian lái le yì zhī è
四个小伙伴玩儿得高兴极了。忽然，跳跳发现东边来了一只恶
láng wāng wang zhǐ zhe nán bian shuō bù hǎo nán bian lái le yì zhī dà lǎo hǔ tā men sān ge lā zhe
狼。汪汪指着南边说："不好，南边来了一只大老虎！"他们三个拉着
jiàn zhū zhǔn bèi xiàng běi bian táo zǒu kě shì tái tóu yí kàn yì tóu xiōng měng de shī zi yě zhèng xiàng
箭猪准备向北边逃走。可是，抬头一看，一头凶猛的狮子也正向
zhè lǐ zǒu lái zhè shí jiàn zhū mō mo shēn shang de cìr shuō wǒ yǒu yí gè hǎo bàn fǎ
这里走来。这时，箭猪摸摸身上的刺儿说："我有一个好办法。"

nǐ yǒu shén me bàn fǎ wāng wang tiào tiao bēn ben yì qǐ wèn
“你有什么办法？”汪汪、跳跳、奔奔一起问。

wǒ shēn shang de cìr jiù shì jiàn kě yǐ shè tā men ya jiàn zhū shuō
“我身上的刺儿就是箭，可以射他们呀。”箭猪说。

yú shì jiàn zhū cóng shēn shang bá xià jiàn hǎo xiǎo hóu zi tiào tiao de jiàn fǎ zhēn zhǔn zhè yí jiàn zhèng hǎo shè zài shī zi dà wáng de zuǐ chún shang tòng de tā zhí jiào huan diào tóu táo zǒu le
于是，箭猪从身上拔下“箭”。好！小猴子跳跳的箭法真准，这一箭正好射在狮子大王的嘴唇上，痛得他直叫唤，掉头逃走了。

xiǎo huǒ bàn men yòu bǎ jiàn shè xiàng è láng hé lǎo hǔ jiāng tā men dōu shè pǎo le tā men qǔ dé le shèng lì
小伙伴们又把箭射向恶狼和老虎，将他们都射跑了。他们取得了胜利。

这个故事告诉我们：我们不能单纯地以貌取人。故事中其貌不扬的箭猪不是帮助大家逃过一劫了吗？

不吃糖果

BU CHI TANG GUO

bǐ bi shì ge kuài lè de lǎo hǔ tā hěn yǒng měng shì
比比是个快乐的老虎。他很勇猛，是
sēn lín li gōng rèn de zuì qiáng zhuàng de dòng wù zuì jìn bǐ bi
森林里公认的最强壮的动物。最近，比比
què zhěng tiān chóu méi kǔ liǎn de yīn wèi tā de yá chǐ téng
却整天愁眉苦脸的。因为他的牙齿疼
de lì hai
得厉害。

qí shí bǐ bi yuán lái de yá chǐ yòu qí yòu
其实，比比原来的牙齿又齐又
bái hái hěn jiē shi dàn tā zǒng chī táng yòu bú
白，还很结实。但他总吃糖，又不
ài shuā yá suǒ yǐ cái yǒu le hěn duō de zhù
爱刷牙，所以才有了很多的蛀
yá hóu yī shēng gào su bǐ bi rú guǒ tā hái
牙。猴医生告诉比比，如果他还
chī táng de huà yá chǐ jiù huì chè dǐ huài diào
吃糖的话，牙齿就会彻底坏掉，
ér qiě hái děi quán bù bá diào ne
而且还得全部拔掉呢！

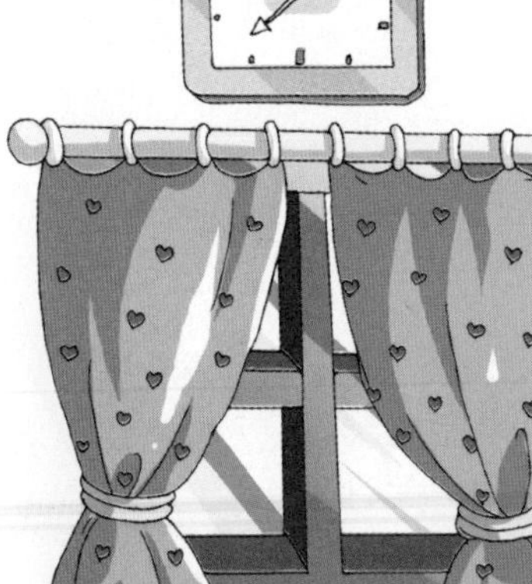

yú shì bǐ bi jué dìng bú zài chī táng le wèi le ràng zì
于是，比比决定不再吃糖了。为了让自
jǐ jì zhù tā xiě le hǎo duō zhǐ tiáo tiē zài chuáng biān tā hái
己记住，他写了好多纸条，贴在床边。他还
bǎ bù chī táng guǒ dàng chéng yí jù zuò yòu míng měi tiān niàn
把“不吃糖果”当成一句座右铭，每天念
shàng jǐ shí cì
上几十次。

xiǎo láng bèi bei zhī dào hòu xīn xiǎng zhè
小狼贝贝知道后，心想：这
zhī chán lǎo hǔ kěn dìng jì bu zhù dì èr
只馋老虎，肯定记不住。第二
tiān xiǎo láng bèi bei jiù dài shàng yí guàn táng guǒ
天，小狼贝贝就带上一罐糖果，
lái dào bǐ bi jiā
来到比比家。

bù chī táng guǒ bù chī táng guǒ
“不吃糖果！不吃糖果！”
bǐ bi zhèng duì zhe táng guǒ guàn zì yán zì yǔ ne
比比正对着糖果罐自言自语呢。

ó yuán lái shì zhè yàng a bèi bei
“哦，原来是这样啊！”贝贝
shuō nà wǒ hái shi bǎ zhè xiē táng guǒ ná hui qu ba shuō wán bèi bei zhuāng zuò yào zǒu de
说，“那我还是把这些糖果拿回去吧。”说完，贝贝装做要走的
yàng zi
样子。

bǐ bi xié yǎn kàn le kàn bèi bei ná zhe de táng huā huā lǜ lǜ de fēi cháng hǎo kàn
比比斜眼看了看贝贝拿着的糖，花花绿绿的，非常好看。

“等等。”比比拉住贝贝，“不能吃，看看也好。”说完，接过贝贝手里的糖果罐，眼巴巴地看着。

贝贝看到老虎比比馋得直流口水，眼珠滴溜儿一转，说：“我有办法了。你可以把糖含在嘴里，不用牙齿咬。这样就不会伤到牙齿了。”

“对啊，不用牙齿咬，怎么能伤到牙呢？”比比恍然大悟，“我怎么就没想到呢！”说完，他打开糖果罐就吃了起来。

liǎng ge yuè yǐ hòu lǎo hǔ bǐ bi lái dào hóu yī shēng de zhěn suǒ bǐ bi yòng shǒu wǔ zhe zuǐ
两个月以后，老虎比比来到猴医生的诊所。比比用手捂着嘴，
téng de zhí jiào huan hóu yī shēng méi yǒu bàn fǎ zhǐ hǎo bǎ tā de zhù yá dōu bá diào le
疼得直叫唤。猴医生没有办法，只好把他的蛀牙都拔掉了。

bǐ bi biàn chéng le nán kàn de méi yá lǎo hǔ tā hòu huǐ jí le
比比变成了难看的没牙老虎，他后悔极了。

大家一定不想像故事中的比比那样拔掉所有的蛀牙吧，那就从现在起改掉爱吃糖的坏习惯吧！糖果虽然好吃，但不要贪吃啊！

狗熊种地

GOU XIONG ZHONG DI

chūn tiān lái le gǒu xióng kāi le yí kuài huāng dì tā
春天来了，狗熊开了一块荒地，他
xiǎng wǒ yí dìng yào zài dì li zhòng shàng zuì hǎo chī de dōng
想：我一定要在地里种上最好吃的东
xi kě shì shén me zuì hǎo chī ne gǒu xióng zhèng xiǎng zhe kàn
西。可是什么最好吃呢？狗熊正想着，看
dào yì zhī shān yáng xiàng tā
到一只山羊向他
zǒu lái jiù wèn shān
走来，就问：“山
yáng xiōng di nǐ de
羊兄弟，你的
dì li dōu zhòng shén me
地里都种什么
la wǒ zhòng le
啦？”“我种了
bō cài bō cài yòu
菠菜。菠菜又
xiān yòu nèn kě hǎo
鲜又嫩，可好

chī la
吃啦！”

gǒu xióng tīng le shān yáng de huà yě zài zì jǐ de dì li zhòng shàng le bō cài
狗熊听了山羊的话，也在自己的地里种上了菠菜。

gǒu xióng kàn dào xiǎo tù de yuán zi li zhòng le luó bo jiù wèn
狗熊看到小兔的园子里种了萝卜，就问

xiǎo tù zěn me bú zhòng bō cài xiǎo tù shuō wǒ ài chī luó bo luó
小兔怎么不种菠菜。小兔说：“我爱吃萝卜。萝

bo cuì shēng shēng tián zī zī de
卜脆生生、甜滋滋的。”

gǒu xióng tīng le xiǎo tù de huà yě xiǎng zhòng luó
狗熊听了小兔的话，也想种萝

bo huí dào jiā hòu
卜。回到家后，

tā bǎ bō cài quán bá
他把菠菜全拔

guāng le zhòng shàng
光了，种上

le luó bo
了萝卜。

kě shì gǒu xióng
可是狗熊

yòu tīng shuō hóu zi
又听说猴子

zhòng le xī guā jiù
种了西瓜，就

bá le luó bo zhòng
拔了萝卜种

shàng le xī guā
上了西瓜。

qiū tiān dào le hóu zi guā dì li de xī guā shóu
秋天到了，猴子瓜地里的西瓜熟
le xiǎo tù de luó bo yě zhǎng dà le shān yáng de bō cài
了，小兔的萝卜也长大了，山羊的菠菜
fēng shōu le gǒu xióng ne chuí tóu sàng qì de
丰收了。狗熊呢，垂头丧气地
zuò zài dì li kàn zhe sǐ diào de xī guā yāng
坐在地里看着死掉的西瓜秧
fā dāi ne
发呆呢。

狗熊一味地听信别人的话，遇事没有自己的主见，结果到了秋天一无所获。孩子们，别人的意见可以参考，但只要是正确的就一定要坚持。

骄傲的小狮子

JIAO AO DE XIAO SHI ZI

xiǎo shī zi wēi wei zhǎng zhe piào liang de jīn sè máo
小狮子威威长着漂亮的金色毛
fà hǎo kàn jí le dòng wù men dōu jiào tā jīn máo shī
发，好看极了。动物们都叫他“金毛狮
wáng xiǎo shī zi cháng cháng tīng dào bié ren zhè yàng jiào zì
王”。小狮子常常听到别人这样叫自
jǐ jiù yǒu diǎnr jiāo ào le
己，就有点儿骄傲了。

zhè tiān xiǎo hóu zi lái zhǎo wēi wei wánr zhuō mí
这天，小猴子来找威威玩儿捉迷
cáng wēi wei yáo yao tóu shuō bù wánr bù wánr wǒ gāng zuò hǎo xīn fà xíng hé nǐ men dōng
藏，威威摇摇头说：“不玩儿不玩儿，我刚做好新发型，和你们东
pǎo xī diān de huì bǎ wǒ de xīn fà xíng nòng luàn de
跑西颠的，会把我的新发型弄乱的。”

xiǎo hēi xióng zhǎo wēi wei tī zú qiú wēi wei yáo yao tóu shuō bú qù bú qù nǐ nà me bèn
小黑熊找威威踢足球，威威摇摇头说：“不去不去，你那么笨，
wǒ kě bù xiǎng hé nǐ wánr
我可不想和你玩儿。”

dòng wù men shuō wei wei chú le yáo tóu shén me dōu bú huì wǒ men jiào tā yáo tóu shī zi ba
动物们说：“威威除了摇头什么都不会，我们叫他‘摇头狮子’吧。”

jīn máo shī wáng jiù zhè yàng biàn chéng le yáo tóu shī zi yáo tóu shī
“金毛狮王”就这样变成了“摇头狮子”。“摇头狮
zi yí gè péng you dōu méi yǒu le rì zi jiǔ le wēi wei gǎn dào yǒu
子”一个朋友都没有了。日子久了，威威感到有
xiē gū dān le tā qù zhǎo xiǎo hóu wánr xiǎo hóu yáo yao tóu shuō bù
些孤单了。他去找小猴玩儿，小猴摇摇头说：“不
xíng hé wǒ yì qǐ wánr huì bǎ nǐ de xīn fà xíng nòng luàn de
行，和我一起玩儿会把你的新发型弄乱的。”

wēi wei zhǎo xiǎo hēi xióng wánr xiǎo hēi xióng shuō wǒ tài
威威找小黑熊玩儿，小黑熊说：“我太
bèn le nǐ bié hé wǒ zài yì qǐ wánr le
笨了，你别和我在一起玩儿了。”

wēi wei nán guò jí le méi yǒu le péng you hǎo kàn de jīn sè máo fà yòu yǒu shén me yòng ne xiǎo
威威难过极了。没有了朋友，好看的金色毛发又有什么用呢？小
dòng wù men kàn dào hòu huǐ de xiǎo shī zi jué de tā hěn kě lián yú shì dà jiā yòu hé tā yì qǐ
动物们看到后悔的小狮子，觉得他很可怜。于是，大家又和他一起
wánr le xiǎo shī zi gēn huǒ bàn men yì qǐ kuài lè de zuò yóu xì zài yě bù jiāo ào le
玩儿了。小狮子跟伙伴们一起快乐地做游戏，再也不骄傲了。

小狮子因为太骄傲了，所以大家都不愿意和他玩儿。朋友之间需要更多的真诚与友爱，我们要摒除自大和骄傲，学会与朋友和睦相处。

图书在版编目（CIP）数据

悦读趣味动物童话 / 崔钟雷主编. —长春：吉林摄影出版社，2009.6
（儿童经典悦读系列）
ISBN 978-7-80757-510-8

Ⅰ. 悦…　Ⅱ. 崔…　Ⅲ. 童话－作品集－世界　Ⅳ. I18

中国版本图书馆 CIP 数据核字（2009）第 099061 号

策　　划：钟　雷
责任编辑：王笠君
装帧设计：稻草人工作室

悦读趣味动物童话

主编：崔钟雷　副主编：王丽萍　苗　青　代文秀

吉林摄影出版社出版发行
长春市泰来街 1825 号
邮政编码：130062
全国新华书店经销
辽宁美术印刷厂印刷

开本 889×1194 毫米　1/24　印张 6.5　字数 120 千字
2009 年 6 月第 1 版　2009 年 6 月第 1 次印刷
ISBN 978-7-80757-510-8

定价：15.80 元